AKADEMIE DEUTSCH A1+

Zusatzmaterial mit Audios online
Band 1
Deutsch als Fremdsprache

Autorenteam:
Sabrina Schmohl
Britta Schenk
Sandra Bleiner
Michaela Wirtz
Jana Glaser

Unter Mitarbeit von
Heike Fahl
Julia Gruß
Thorsten Heinz
Melanie Köllen
Carolin Renn
Michael Stetter
Anette Wempe-Birk
Ingrid Schäfermeier
et al.

Fachliche Beratung:
Sprachenakademie Aachen

Hueber Verlag

Audios zum Zusatzmaterial

Sprecher: Sandra Bleiner, Coralie Heilmann, Ingrid Schäfermeier, Helmut Sosnitza et al.

Produktion: Tonstudio 42 signals GmbH, Aachen

4.   3.   2. | Die letzten Ziffern
2025   24   23   22   21 | bezeichnen Zahl und Jahr des Druckes.
Alle Drucke dieser Auflage können, da unverändert, nebeneinander benutzt werden.
1. Auflage
© 2018 Originalausgabe 42 signals GmbH, Aachen, Deutschland
© 2020 Hueber Verlag GmbH & Co. KG, München, Deutschland
Design: ka:en (Tina Nordhausen), Aachen; Daniela Vrbanovic, D.A.N.dock, Aachen
Umschlaggestaltung: Daniela Vrbanovic, D.A.N.dock, Aachen; Sieveking · Agentur für Kommunikation, München
Layout und Satz: Patryk Szafron, 42 signals GmbH, Aachen; Sieveking · Agentur für Kommunikation, München
Redaktion: Sabrina Schmohl, Britta Schenk; Assistenz: Claire de Vries, Melanie Köllen, Sara Morrhad, alle 42 signals GmbH, Aachen
Druck und Bindung: Friedrich Pustet GmbH & Co. KG, Regensburg
Printed in Germany
ISBN 978-3-19-111650-7

Art. 530_27339_001_02

SEITE / KAPITEL

4	1	LOS GEHT'S

18	2	DEUTSCHE SPRACHE, SCHWERE SPRACHE?

27	3	LECKER!
38		VORÜBUNGEN
39	4	ALLTAG UND FREIZEIT
53		VORÜBUNGEN
54	5	UNSER LEBEN
63		VORÜBUNGEN
65	6	WIE GEHT'S?
77		VORÜBUNGEN
78	7	ICH WILL WEG!
97		VORÜBUNGEN
98	8	PROST! FESTE & CO.
105		VORÜBUNGEN
109	9	HIER UND DA
124		GESAMTÜBUNGEN

1   LÄNDER, NATIONALITÄTEN UND SPRACHEN

a)   Woher kommen Sie? Ergänzen Sie die Ländernamen.

1   Ich komme aus _____, aus Sao Paulo. Und woher kommst du?

2   Ich komme aus der _____.

3   Guten Tag, Frau Suzuki. Kommen Sie aus _____?

4   Ich komme aus der _____. Ich bin Schweizerin.

5   Herr Baker kommt aus den _____. Er ist US-Amerikaner.

6   Das ist Frau Kim. Sie kommt aus _____. Sie ist Koreanerin.

b)   Welche Sprache spricht man hier?

Land	Sprache	Land	Sprache
Deutschland		Japan	
Saudi-Arabien		Spanien	
Italien		Polen	
Korea		Indonesien	
Frankreich		Großbritannien	
Österreich		Türkei	
Indien		Australien	
Südafrika		Syrien	

2   SPIELSHOW

a)   Lesen Sie den Beginn von dem Hörtext. Wo spielt der Hörtext?

„Guten Tag, meine verehrten Damen und Herren, ich begrüße Sie ganz herzlich zu unserer heutigen Spielshow. Und hier kommen unsere Kandidaten …"

b)   Hören Sie den Hörtext und ergänzen Sie die Informationen.

Name	kommt aus	wohnt in	Geburtsort	Sprachen	Hobbys
Ellen Talbach					
Yasemin Gül					
Conrad Ederer					
Waynan Soh					
Aida Hamidi					

3 PERSONALPRONOMEN

Ergänzen Sie die Personalpronomen.

1 Das ist Helena. _____ kommt aus Russland.

2 Das sind Peter und Michael. _____ kommen aus Deutschland.

3 Das ist Juan. _____ kommt aus Spanien.

4 Mein Name ist Susi. _____ bin Österreicherin. Und woher kommst _____?

5 Das ist Isabella. _____ kommt aus Italien.

6 Pedro und Maria, woher kommt _____ eigentlich? – _____ kommen aus Malaga.

   Das ist in Spanien.

7 Das ist Fuad. _____ kommt aus Aserbaidschan.

8 Abdul und Noor kommen aus Malaysia. _____ leben jetzt in Deutschland.

4 PERSONALPRONOMEN *DU* VS. *SIE*

du oder *Sie*? Kreuzen Sie an. Ergänzen Sie weitere Personen.

	du	*Sie*		*du*	*Sie*
Professor			Student/Kommilitone		
Kind					
Freund					
Onkel					
Verkäufer im Supermarkt					
Person im Amt					

5 PERSONALPRONOMEN UND VERBKONJUGATION

du/ihr oder *Sie/Sie*? Ergänzen Sie Personalpronomen und Verb.

1 Hallo Kinder, _____ _____ Spaß (haben)?

2 Guten Tag Herr Gündogan, woher _____ _____ (kommen)?

3 Hey Tabea, _____ _____ Medizin (studieren)?

4 Joe, _____ _____ ein Fahrrad (haben)?

5 Professor Weber, wann _____ _____ Sprechstunde (haben)?

6 Hallo Kai und Pia. Was _____ _____ (machen)? _____ _____ (fotografieren)?

7 Frau Dupres _____ _____, eine Karte (brauchen)?

8 Karim, _____ _____ Fußball (spielen)?

9 Im Amt: Entschuldigung, wie _____ _____ (heißen)?

10 Zur Kommilitonin: _____ _____ das Essen gut (finden)?

6   VERBKONJUGATION *SEIN* – HERR RAJEV

Ergänzen Sie die Formen von *sein*.

bin (2x)   bist   ist (9x)   sind (2x)

Postbote: Entschuldigung, _____ (1) Sie Herr Rajev? Hier _____ (2) Post für Sie.

Herr Kress: Nein, tut mir leid, ich _____ (3) nicht Herr Rajev, mein Name _____ (4) Kress.

Postbote: Und ihr? Heißt ihr Rajev?

Jungen: Nein, wir _____ (5) Armin und Constantin Hundertmark. Wer _____ (6) denn Herr Rajev?

Keine Ahnung, wer das _____ (7).

Postbote: Er wohnt hier. Die Adresse _____ (8) Hauptstraße 9.

Jungen: Ja, Hauptstraße 9 _____ (9) richtig, aber Herr Rajev _____ (10) nicht hier.

Postbote: Und wer _____ (11) du?

Mädchen: Ich _____ (12) Janina Neumann.

Postbote: Und weißt du, wer das _____ (13)? Herr Rajev?

Mädchen: Ja klar. Da kommt er. Das _____ (14) der Hund von Frau Dreyer!

Postbote: Der Hund ...?

7   VERBKONJUGATION *SEIN* – SIND SIE DER LEHRER?

a)   Ergänzen Sie das Verb *sein* in der richtigen Form.

■ Entschuldigung, ich _____ (1) neu hier. _____ (2) Sie der Lehrer?

♦ Ich? Lehrer? Nein, ich _____ (3) Student. Ich _____ (4) Leon. Und wer _____ (5) du?

■ Ich _____ (6) Jan. Freut mich. Und wer _____ (7) das?

♦ Das _____ (8) Marlene. Sie _____ (9) Schwedin.

■ Und wer _____ (10) die zwei dort?

♦ Das _____ (11) Felipe und Magdalena.

■ _____ (12) sie Spanier?

♦ Das weiß ich gar nicht. Komm, wir fragen sie! Hallo Magdalena, hallo Felipe. Das _____ (13) Jan.

Er _____ (14) neu hier.

• Hallo Jan!

■ Hallo! Freut mich! _____ (15) ihr Spanier?

• Ja, wir _____ (16) aus Spanien. Und du, Jan? Woher _____ (17) du?

■ Ich _____ (18) Belgier.

♦ Ah, da kommt Herr Heidenreich. Er _____ (19) der Lehrer. Guten Tag, Herr Heidenreich.

Sie _____ (20) aber früh heute.

▲ Ja, ich _____ (21) heute früh dran. _____ (22) Sie alle komplett? Dann geht's los.

b) Spielen Sie Dialoge nach diesem Beispiel.

8 VERBKONJUGATION *HABEN* VS. *SEIN*

haben oder *sein*? Entscheiden Sie und setzen Sie die richtige Form ein.

1 Ich _____ 23 Jahre alt. Wie alt _____ du?

2 Meine Familie _____ 3 Hunde und ein Pferd. Wie viele Tiere _____ ihr?

3 Leonard arbeitet. Er _____ keine Zeit.

4 Heute _____ Montag, der 25. Juni.

5 Das _____ Laura. Sie spricht Deutsch.

6 Laura _____ ein Smartphone mit Wörterbuchapp.

7 Du _____ sehr nett! Ich mag dich!

8 Linda _____ eine Yacht. Sie _____ reich.

9 VERBKONJUGATION *HABEN* UND *SEIN* – GLÜCKLICH SEIN

a) Lesen Sie das Interview zum Thema *Glücklich sein* und ergänzen Sie *haben* und *sein*.

Reporter: Guten Tag. Ich _____ (1) eine Frage: _____ (2) Sie glücklich?

Mann: Glücklich? Nun ja. Ich _____ (3) ein Haus, ein Auto und ein Pferd. Sehen Sie hier: Ich _____ (4) Fotos: Das _____ (5) mein Haus, das _____ (6) mein Auto und hier _____ (7) mein Pferd.

Reporter: Schön. Aber _____ (8) Sie auch glücklich?

Mann: Ich weiß nicht ...

Reporter: Guten Tag. Entschuldigung. _____ (9) Sie glücklich?

Frau: Ja!

Reporter: Warum?

Frau: Ich _____ (10) gesund, ich _____ (11) viel Freizeit, meine Familie _____ (12) nett und meine Freunde _____ (13) immer für mich da. Probleme _____ (14) ich nicht.

Reporter: Wie schön. Und du? _____ (15) du auch glücklich?

Kind: Ja. Ich _____ (16) glücklich. Ich _____ (17) ein Eis.

Reporter: Du _____ (18) ein Eis? Das macht dich glücklich?

Kind: Ja genau.

Reporter: Und ihr? _____ (19) ihr auch glücklich?

Schüler: Nein! Wir _____ (20) nicht glücklich.

Reporter: Oh, und warum nicht?

Schüler: Die Schule _____ (21) doof. Wir _____ (22) keine Lust mehr. Der Lehrer _____ (23) streng und die Hausaufgaben _____ (24) immer so schwer!

b) Und Sie? Sind Sie auch glücklich? Was ist Ihnen wichtig? Kreuzen Sie an und finden Sie den Artikel (*der, das, die*) im Wörterbuch.

die Familie ☐ Freunde ☐ Essen ☐ Haustier ☐

___ Arbeit ☐ ___ Geld ☐ ___ Boot ☐ ___ Auto ☐

___ Haus ☐ ___ Lehrer ☐ ___ Hobby ☐ ___ Gesundheit ☐

10 STECKBRIEFE

Lesen Sie den Dialog und füllen Sie die beiden Steckbriefe aus. Schreiben Sie einen Strich (/), wenn es keine Information gibt.

Amir: Entschuldigung, ist hier der Englisch-A1-Kurs?
Lien: Ja!
Amir: Ah, gut! Ist hier noch frei?
Lien: Ja, bitte! Ich heiße Lien Chen, und wie heißt du?
5 Amir: Amir. Ich komme aus dem Iran, und du?
Lien: Aus China. Und warum lernst du Englisch? Für das Studium?
Amir: Ach nein. Ich mag Fremdsprachen! Ich spreche schon Französisch und ein bisschen Deutsch. Und natürlich Persisch, meine Muttersprache! Englisch spreche ich aber nur schlecht. Darum lerne ich es jetzt! Und du?
10 Lien: Ich mache das auch als Hobby! Für das Studium brauche ich nur Deutsch. Deutsch spreche ich schon gut. Und Chinesisch natürlich auch!
Amir: Fremdsprachen sind wirklich ein schönes Hobby!
Lien: Ja, finde ich auch. Ich lese aber auch gern und spiele oft Computer.
Amir: Lesen? Echt? Ich mag keine Bücher! Ich höre Musik und spiele Gitarre.
15 Lien: Auch nicht schlecht! Aber pst, jetzt beginnt der Unterricht.

Vorname: _____

Nachname: _____

Staatsangehörigkeit: _____

Sprachen: _____

_____

Hobbys: _____

_____

_____

Vorname: _____

Nachname: _____

Staatsangehörigkeit: _____

Sprachen: _____

_____

Hobbys: _____

_____

_____

11 ZAHLEN

a) Wie ist die Telefonnummer? Sprechen und schreiben Sie.

1   110 (Polizei)

2   112 (Feuerwehr)

3   024032 / 29 57 11

4   0899 / 39 93 66

5   0400 / 72 81 12

b) Ergänzen Sie. Sprechen Sie dann mit Ihrem Partner.

1   Wie ist Ihre Hausnummer?

2   Wie ist Ihre Handynummer?

3   Wie ist Ihre Postleitzahl?

4   Handy Frau Kohl: 0117 – 39 44 27

5   Handy Herr Schneider: 0116 – 99 61 78

Meine Handynummer / Hausnummer / Postleitzahl ist ...
Die Telefonnummer von Frau Kohl / Herrn Schneider ist ...

c) Ein bisschen Mathematik ... Rechnen Sie mit Ihrem Partner. Wie viel ist ...?

$9 \div 3$ =	$12 + 1$ =	$8 \times 2,5$ =	2×3 =	$19 - 3 - 7$ =
6×3 =	2×5 =	$11 + 5$ =	$18 - 1$ =	$16 \div 2$ =
$13 + 5$ =	1×20 =	$15 : 5$ =	$20 \div 4$ =	$13 + 3,8$ =

+   *Wie viel ist sieben plus acht?*
    Sieben plus acht ist (gleich) fünfzehn. [7 + 8 = 15]

–   *Wie viel ist zwanzig minus vier?*
    Zwanzig minus vier ist sechzehn. [20 – 4 = 16]

x   *Wie viel ist drei mal vier?*
    Drei mal vier ist zwölf. [3 x 4 = 12]

÷   *Wie viel ist achtzehn (geteilt) durch neun?*
    Achtzehn durch neun ist zwei. [18 ÷ 9 = 2]

12 WIE VIEL KOSTET ...?

Arbeiten Sie zu zweit. Fragen Sie Ihren Partner nach den fehlenden Preisen und ergänzen Sie sie. Antworten Sie Ihrem Partner.

Wie viel kostet / kosten ...? – Der / Das / Die / Die ... kostet / kosten ...
Das ist aber günstig / teuer!

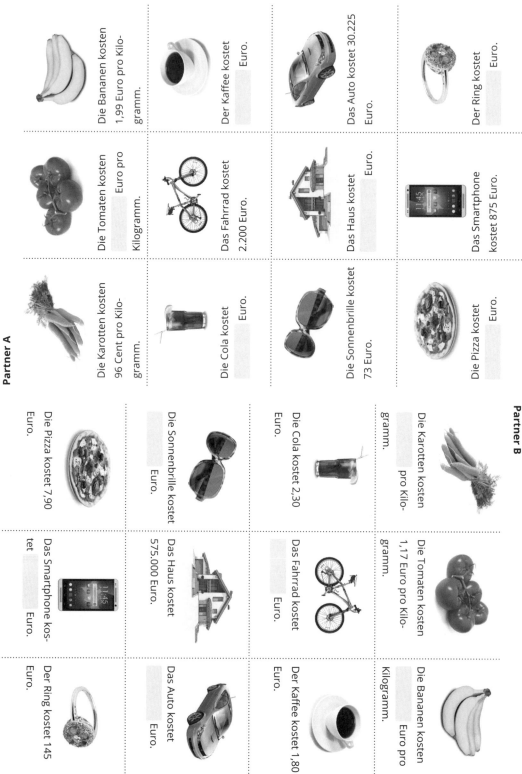

Partner A

Die Bananen kosten 1,99 Euro pro Kilogramm.

Der Kaffee kostet ____ Euro.

Das Auto kostet 30.225 Euro.

Der Ring kostet ____ Euro.

Die Tomaten kosten ____ Euro pro Kilogramm.

Das Fahrrad kostet 2.200 Euro.

Das Haus kostet ____ Euro.

Das Smartphone kostet 875 Euro.

Die Karotten kosten 96 Cent pro Kilogramm.

Die Cola kostet ____ Euro.

Die Sonnenbrille kostet 73 Euro.

Die Pizza kostet ____ Euro.

Partner B

Die Pizza kostet 7,90 Euro.

Die Sonnenbrille kostet ____ Euro.

Die Cola kostet 2,30 Euro.

Die Karotten kosten ____ pro Kilogramm.

Die Tomaten kosten 1,17 Euro pro Kilogramm.

Das Smartphone kostet ____ Euro.

Das Haus kostet 575.000 Euro.

Das Fahrrad kostet ____ Euro.

Die Bananen kosten ____ Euro pro Kilogramm.

Der Ring kostet 145 Euro.

Das Auto kostet ____ Euro.

Der Kaffee kostet 1,80 Euro.

13 ALPHABET UND ZAHLEN

▶ a) Hören Sie die Anrufe bei der Auskunft und ergänzen Sie die Informationen.

	Familienname	Stadt	Telefonnummer
1			
2			
3			

▶ b) Hören Sie den Anruf in der Kanzlei Kuhn & Huber und ergänzen Sie den Notizzettel.

Zurückrufen, bitte!

Name:

Telefonnummer:

Das deutsche Buchstabieralphabet

A = Anton	O = Otto
Ä = Ärger	Ö = Ökonom
B = Berta	P = Paula
C = Cäsar	Q = Quelle
Ch = Charlotte	R = Richard
D = Dora	S = Samuel
E = Emil	Sch = Schule
F = Friedrich	ß = Eszett
G = Gustav	T = Theodor
H = Heinrich	U = Ulrich
I = Ida	Ü = Übermut
J = Julius	V = Viktor
K = Kaufmann	W = Wilhelm
L = Ludwig	X = Xanthippe
M = Martha	Y = Ypsilon
N = Nordpol	Z = Zacharias

14 BUCHSTABIERALPHABET

a) Schreiben Sie ein Buchstabieralphabet mit Ländernamen.

A = Argentinien

B = ...

b) Buchstabieren Sie diese Wörter mit Ihrem Buchstabieralphabet.

Düsseldorf	Chinesisch	Aserbaidschan
Alphabet	Feuerwehr	siebenunddreißig

15 VERBKONJUGATION – WER IST DAS?

Ergänzen Sie passende Verben.

1 Wir _____ (1) Lisa und Marie. Wir _____ (2) aus Österreich. Wir _____ (3) in Wien. Wir _____ (4) gern Tennis. Wir _____ (5) eine Katze. Sie _____ (6) Bella.

2 Wo _____ (7) ihr? In Deutschland? Und was _____ (8) ihr gern? _____ (9) ihr auch gern Tennis?

3 Das ist Dirk. Dirk _____ (10) der Vater von Lisa und Marie. Er _____ (11) auch in Wien. Er _____ (12) Österreicher. Er _____ (13) gern Fußball und er _____ (14) gern Fotos. Fotografieren _____ (15) sein Hobby.

4 Und Sie? Wie _____ (16) Sie? _____ (17) Sie Badminton? _____ (18) Sie ein Haustier? Was _____ (19) Sie gern?

16 FRAGE – ANTWORT

Ordnen Sie zu: Was gehört zusammen?

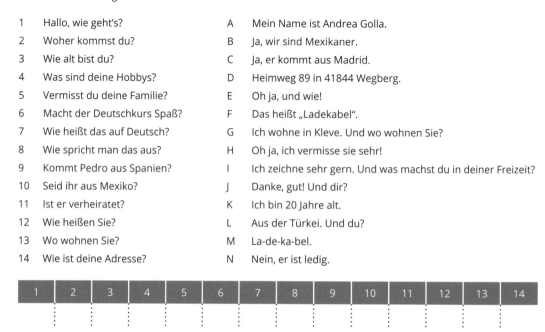

1	Hallo, wie geht's?	A	Mein Name ist Andrea Golla.
2	Woher kommst du?	B	Ja, wir sind Mexikaner.
3	Wie alt bist du?	C	Ja, er kommt aus Madrid.
4	Was sind deine Hobbys?	D	Heimweg 89 in 41844 Wegberg.
5	Vermisst du deine Familie?	E	Oh ja, und wie!
6	Macht der Deutschkurs Spaß?	F	Das heißt „Ladekabel".
7	Wie heißt das auf Deutsch?	G	Ich wohne in Kleve. Und wo wohnen Sie?
8	Wie spricht man das aus?	H	Oh ja, ich vermisse sie sehr!
9	Kommt Pedro aus Spanien?	I	Ich zeichne sehr gern. Und was machst du in deiner Freizeit?
10	Seid ihr aus Mexiko?	J	Danke, gut! Und dir?
11	Ist er verheiratet?	K	Ich bin 20 Jahre alt.
12	Wie heißen Sie?	L	Aus der Türkei. Und du?
13	Wo wohnen Sie?	M	La-de-ka-bel.
14	Wie ist deine Adresse?	N	Nein, er ist ledig.

1	2	3	4	5	6	7	8	9	10	11	12	13	14

17 VERBEN MIT STAMM AUF -T, -D, -N UND -S, -ß, -Z, -X UND -ER, -EL

Zwei Sprachschüler sprechen in der Cafeteria von der Sprachschule. Ergänzen Sie die passenden Verben in der richtigen Form.

■ Hallo, ich bin Jasmin. Und wie heißt du?

♦ Ich bin Arthur. _____ (1) du auch gerade Deutsch (lernen)? Wie ist dein Deutschkurs?

■ Ja, ich bin im A1-Kurs. Der Kurs ist wirklich schwer. Wir lernen von 8:00 Uhr bis 13:00 Uhr, den ganzen

Vormittag ohne Pause! Wir _____ (2) in Gruppen, wir _____ (3) Sätze

und manchmal _____ (4) wir auch auf Deutsch – fast wie im Mathematikunterricht

(arbeiten, bilden, rechnen)! Wie ist der Unterricht in deinem Kurs? _____ (5) du auch den

ganzen Vormittag im Kurs (sitzen)? _____ (6) ihr auch in Gruppen zusammen (arbeiten)?

_____ (7) du auch Sätze und _____ (8) auf Deutsch (bilden, rechnen)?

♦ Ja, bei uns ist der Unterricht auch so. Es macht Spaß, aber am Freitag bin ich immer sehr müde und

_____ (9) nur noch auf das Wochenende (warten). _____ (10) du auch

immer auf das Wochenende (warten)?

■ Oh ja. Leider _____ (11) die Wochenenden immer nur kurz, nur zwei Tage (dauern).

Ich _____ (12) dann immer gern in andere deutsche Städte (reisen). Und du,

_____ (13) du an den Wochenenden auch so gerne (reisen)?

♦ Hm, eigentlich nicht so gerne. Reisen ist sehr teuer, ich bleibe lieber hier. Ich sehe am Wochenende meis-

tens Filme auf meinem Computer, und dann _____ (14) ich die Sprache auf Deutsch

(wechseln). So lernt man super Deutsch!

- Wow, du _____ (15) die Sprache (ändern)? Ich _____ (16) die Sprache nie (ändern). Aber super! Ich _____ (17) mein Deutsch auch auf Reisen (verbessern). Ich _____ (18) viele neue Vokabeln (sammeln). Mit Filmen lernt man aber auch super Fremdsprachen!

- Sind Filme auch dein Hobby? Warum kommst du nicht morgen zu mir und wir sehen einen Film zusammen?

- Oh, tolle Idee!

- Ich wohne in der Josefstraße 5. Du _____ (19) bei Maria Tibelli (klingeln). Das ist meine Mitbewohnerin. Vielleicht _____ (20) sie die Tür (öffnen). Aber du _____ (21) mich dann in meinem Zimmer (finden)!

- Super, bis morgen!

- Bis dann, tschüs!

18 VERBEN MIT VOKALWECHSEL

a) Ergänzen Sie die passenden Verben in der richtigen Form.

essen fahren geben halten (2x) helfen laufen nehmen schlafen sehen sprechen stehlen stoßen treffen
waschen werden (2x) wissen (3x)

1 _____ du mit dem Auto oder mit dem Bus?

2 Der Bus **h**_____ in Neunkirchen.

3 Er **g**_____ Peter das Buch.

4 **T**_____ du Lisa heute? – Ja, in der Mensa.

5 Du hast heute Geburtstag? Herzlichen Glückwunsch! Wie alt _____ du?

6 Er hat kein Auto, er **l**_____ zur Sprachschule.

7 **N**_____ du das Steak oder das Schnitzel?

8 Wie lange **schl**_____ du sonntags? – Bis 11 Uhr ...

9 **S**_____ du das Haus? – Nein, es ist zu weit weg.

10 Warum **spr**_____ du so leise?

11 Wann ist der Kurs? – Ich _____ es nicht. Ich frage Thomas, er _____ es bestimmt!

12 _____ du heute Spaghetti?

13 Der Dieb _____ das Geld.

14 **H**_____ du bitte Nick? Er hat noch Probleme.

15 Armer Rudi! Er ist so groß, er **st**_____ immer mit dem Kopf gegen die Lampe.

16 Was **w**_____ du? – Die Socken ...

17 Warum **h**_____ du ein Messer in der Hand?

18 Clara studiert Medizin. Sie _____ später Ärztin.

19 _____ du, wie es richtig ist? – Na klar! Du schreibst erst das Subjekt, dann das Verb, dann ...

b) Ergänzen Sie die passenden Verben oder Verbformen.

ich			halte			
du	wäscht					
er/es/sie					sieht	
wir				laufen		
ihr		esst				
sie/Sie/Sie						wissen

c) Ergänzen Sie die Verben in der richtigen Form.

- ▪ Was _____ (1) du am Samstag (machen)? _____ (2) du lange (schlafen)?

- ◆ Ich _____ (3) es noch nicht (wissen). Vielleicht ja! Und dann _____ (4) ich erst einmal in Ruhe (essen).

- ▪ Was _____ (5) du denn (essen)? Brot oder Brötchen?

- ◆ Ich _____ (6) immer Brot und Käse (essen). Und dabei _____ (7) ich einen Tee (trinken).

- ▪ Was für Tee _____ (8) du denn (nehmen)?

- ◆ Ich _____ (9) immer Tee aus Indien (nehmen). Der ist super lecker!

- ▪ Und was _____ (10) du nach dem Frühstück (machen)?

- ◆ Ich _____ (11) in die Stadt (gehen).

- ▪ _____ (12) du oder _____ (13) du mit dem Bus (laufen, fahren)?

- ◆ Ich _____ (14) den Bus (nehmen).

- ▪ Und was _____ (15) du in der Stadt (tun)?

- ◆ Ich _____ (16) meine Freunde (treffen).

- ▪ Wen _____ (17) du denn (treffen)?

- ◆ Thomas und Lara. Wir _____ (18) nur Deutsch miteinander, aber leider _____ (19) Thomas sehr schnell (sprechen, sprechen)!

- ▪ Und was _____ (20) ihr dann in der Stadt (machen)?

- ◆ Wir gehen ins Kino. Lara _____ (21) gern Kung Fu-Filme (sehen).

- ▪ Verstehst du alles oder _____ (22) dir Lara (helfen)?

- ◆ Ich verstehe viel, aber Lara _____ (23) mir immer auch ein bisschen, sie _____ (24) mir auch oft ihr Wörterbuch (helfen, geben).

- ▪ Na dann, viel Spaß euch!

d)   Ergänzen Sie die Verben in der richtigen Form.

1   Was _____ du gern (essen)? – Ich _____ gern Obst (essen).

2   _____ du Französisch (sprechen)? – Nein, ich _____ leider kein Französisch (sprechen).

3   _____ du mir bitte das Salz (geben)?

4   _____ du Bier oder Wasser (nehmen)? – Ich _____ Wasser (nehmen).

5   Markus _____ Susanne und Susanne _____ Markus (helfen, helfen).

6   Er _____ sehr schnell, aber du _____ langsam (laufen, laufen).

7   _____ du bitte hier, hier wohne ich (halten).

8   Herr Sucher _____ Frau Kokett (treffen).

9   _____ du das Haus dort (sehen)? Da wohnt Silke.

10 Herr Becks _____ sonntags lange, aber Frau Becks _____ nicht lange (schlafen, schlafen).

11 Er _____ klar und laut (sprechen).

12 Warum _____ du so schnell (fahren)?

13 Herr Schulz _____ die Haare dreimal pro Woche (waschen).

14 Der Junge _____ eine Banane (stehlen).

15 Ich studiere Englisch. Ich _____ Englischlehrer (werden). Und was _____ du (werden)?

19   VERBKONJUGATION – ELVIRA CONSUELA GÓMEZ HERNÁNDEZ

Ergänzen Sie die Verben in der richtigen Form.

Elvira Consuela Gómez Hernández _____ (1) aus

Mexiko (kommen). Jetzt _____ (2) sie in Köln (wohnen).

Sie _____ (3) dort Architektur (studieren).

Um 8:00 Uhr _____ (4) sie mit der U-Bahn zur Uni (fah-

ren). Von 9:00 bis 13:00 _____ (5) sie in den Vorlesungen

(sitzen). Mittags _____ (6) sie in der Mensa zu Mittag (essen). In der Mensa _____ (7) sie

andere Studenten (treffen). Sie _____ (8) mit den Studenten auf Deutsch, auf Englisch oder auf

Spanisch (sprechen). Elvira _____ (9) gerne in die Bibliothek und _____ (10) dort (gehen,

arbeiten). Sie _____ (11) Bücher und _____ (12) das Internet (lesen, nutzen). Am Nachmittag

_____ (13) sie auch Seminare mit dem Professor und anderen Studenten (haben).

Um 20:00 Uhr _____ (14) Elvira zu Hause (sein). Dann _____ (15) sie mexikanisch (kochen).

20 DAS PARTYSPIEL

a) Auf einer Party spielen die Gäste ein Partyspiel. Lesen Sie den Text. Wie geht das Spiel?

Gastgeber:	Wir spielen ein Spiel! Ich stelle jedem von euch maximal 30 Sekunden lang Fragen. Ihr antwortet, aber nicht mit Ja oder Nein. Schafft ihr das nicht, ist das Spiel zu Ende. Schafft ihr das, gewinnt ihr. Okay?
Partygäste:	Okay!
5 Gastgeber:	Ellen! Du heißt doch Ellen, richtig?
Helen:	Nicht richtig. Mein Vorname ist Helen, nicht Ellen.
Gastgeber:	Ach so ja. Und wo wohnst du?
Helen:	In Berlin.
Gastgeber:	Bern?
10 Helen:	Nein, nein, in Berlin. **Ups!**
Gastgeber:	Schade, du bist raus, Helen! Jetzt bist du dran, Yasemin. Yasemin ist ein schöner Name, oder?
Yasemin	Danke sehr.
Gastgeber:	Bist du aufgeregt?
15 Yasemin:	Absolut nicht.
Gastgeber:	Du spielst gern Badminton und Volleyball.
Yasemin:	Nein, Basketball … **Ups!**
Gastgeber:	Das ist Pech, wieder nichts. Jetzt kommt Markus.
Markus:	Gern!
20 Gastgeber:	Du sprichst Polnisch, nicht wahr?
Markus:	Das ist richtig.
Gastgeber:	Und Italienisch auch?
Markus:	Korrekt!
Gastgeber:	Diese Sprachen sind schwer, oder?
25 Markus:	Kann man sagen.
Gastgeber:	Wirklich?
Markus:	Natürlich!
Gastgeber:	Studierst du?
Markus:	Schon 2 Jahre.
30 Gastgeber:	So lange?
Markus:	Stimmt.
Gastgeber:	Kommt deine Freundin auch aus Berlin?
Markus:	Sie kommt aus Polen, aus Warschau.
Gastgeber:	Ach, deshalb sprichst du auch Polnisch.
35 Markus:	Genau.
Gastgeber:	Geschafft! 30 Sekunden sind vorbei. Du hast gewonnen, Markus!

b) Lesen Sie den Text noch einmal. Schreiben Sie alle Synonyme für *Ja* und *Nein* in die Tabelle.

Ja	Nein
	Nicht richtig.

c) *Ja* oder *Nein*? Ordnen Sie die Wörter in die Tabelle aus Aufgabe b).

Falsch! Keine Frage! Klar! Das ist wahr! Keineswegs! Das stimmt nicht! Logisch! Ist der Papst katholisch?
Auf jeden Fall! In der Tat!

d) Spielen Sie das Ja-Nein-Spiel in Kleingruppen. Schreiben Sie dazu vorher einige Fragen für das Spiel auf.

21 FRAGEN STELLEN

Schreiben Sie die Fragen zu den Antworten.

1 _____? – Maria kommt aus Spanien.

2 _____? – Ja, ich heiße Thomas.

3 _____? – Er wohnt in Düsseldorf.

4 _____? – Sie sprechen Arabisch.

5 _____? – Nein, ich spiele nicht gern Fußball.

6 _____? – Meine Telefonnummer ist 34 56 78.

7 _____? – Ja, meine Hausnummer ist 11.

8 _____? – B - E - C - K - E - R

22 ACHTUNG, FEHLER! – THOMAS HARTMANN

Korrigieren Sie die Fehler und schreiben Sie den Text neu.

Das ~~is~~ Thomas ~~h~~artmann. Er ist zwei unddreisig Jahre alt. Komt er aus Nürnberg, jetzt wohne er aber mit seiner

Das ist Thomas Hartmann. Er _____

_____

Frau in Munchen. Sie noch keine kinder habt. Er arbeiten als Softwareingenieur bei einer Computerfirma und

_____

_____

er sprecht Deutsch, Englisch und ein bischen Franzosisch. In seiner Freizeit spielst er gern Computerspiele

_____

_____

und sport machen. Am Wochenende geht er und seine Frau gern ins Restaurant? sie Pizza essen und trinkst

_____

_____

Rotwein. Im Sommer sie reisen gern nach spanien oder Italy.

_____

_____

1   WÖRTERBUCHARBEIT

Suchen Sie die Wörter im Wörterbuch. Finden Sie die Wortart und sammeln Sie weitere Informationen über die Wörter.

1	Bank	
2	schwer	
3	zwölf	
4	isst	
5	Sie	
6	im	
7	Dresden	
8	groß	
9	komme	
10	Deutschkurs	

2   WORTSCHATZ KURSRAUM

Ordnen Sie die Wörter den Objekten im Kursraum zu.

der Bildschirm, -e   der Kugelschreiber, -   das Kursbuch, ¨er   die Landkarte, -n   der Laptop, -s   der Lehrer, -   der Tisch, -e
die Wand, ¨e   das Whiteboard, -s   das Wörterbuch, ¨er

1

2

3

4

5

6

7

8

9

10

3   WORTSCHATZ FARBEN

Lösen Sie das Kreuzworträtsel.

Waagerecht

1   Bananen sind ...

2   Die Farbe der Liebe ist ...

3   Salat ist ...

4   Die Sonne scheint. Der Himmel ist ...

Senkrecht

5   Ein Whiteboard ist ...

6   Holz ist ...

7   Es regnet. Der Himmel ist ...

8   Farbe Nr. 3 in der Deutschlandflagge ist ...

Lösungswort:

4   ARTIKEL – VERKAUFSGESPRÄCH

Ergänzen Sie die Artikel: bestimmt, unbestimmt oder kein Artikel (/)?

■ Entschuldigen Sie, ist das _____ (1) Küchentisch

oder _____ (2) Schreibtisch?

♦ Das ist _____ (3) Küchentisch – original italienisch!

■ Und was kostet _____ (4) Tisch?

♦ Der kostet 799 Euro. _____ (5) Holz ist Nussbaum!

■ Puh, _____ (6) Tisch ist aber teuer. Und etwas zu

groß ist er auch.

♦ Wie groß ist denn _____ (7) Küche?

■ _____ (8) Küche ist nur circa 20 m² groß. Und _____ (9) Küchentür ist ein bisschen schmal.

Das wird bestimmt _____ (10) Problem! _____ (11) Tisch passt leider nicht.

♦ _____ (12) Tisch ist ja auch für _____ (13) vier Personen. Er ist aber auch in klein da, für

_____ (14) zwei Personen.

■ Interessant. Und _____ (15) Stühle? Haben Sie auch _____ (16) Stühle?

♦ Ja, _____ (17) Stühle für den Tisch haben wir auch.

■ Sehr gut. Was kosten _____ (18) Stühle?

♦ ...

5   NOMEN LERNEN

Lernen Sie mit System! Bilden Sie Gruppen (Wortfelder). Schreiben Sie weitere Nomen in die Kästen. Ergänzen Sie die Artikel und die Pluralendungen (Plural = Singular: -, kein Plural möglich: /). Markieren Sie die Artikel farbig: Maskulinum: blau, Neutrum: grün, Femininum: rot

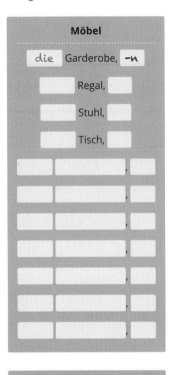

Möbel

die Garderobe, -n
Regal,
Stuhl,
Tisch,

Räume und Zimmer

Boden,
Decke,
Ecke,
Fenster,
Fensterbank,
Tür,
Wand,

Geräte

der Beamer, -
Computer,
Fernbedienung,
Handy,
Smartphone,
Tablet,
Tastatur,
USB-Stick,

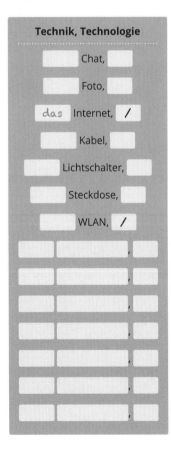

Einrichtung im Zimmer

Papierkorb,
Teppich,
Uhr,
Vorhang,

Technik, Technologie

Chat,
Foto,
das Internet, /
Kabel,
Lichtschalter,
Steckdose,
WLAN, /

Büromaterial, Schreibwaren

Blatt,
Bleistift,
Federmäppchen,
Füller,
Heft,
Kopie,
Kugelschreiber,
Lineal,
Ordner,
Radiergummi,
Spitzer,
Textmarker,

6   KOMPOSITA

a)   Bilden Sie Komposita. Schreiben Sie auch die Artikel und den Plural. Benutzen Sie für den Plural ein Wörterbuch.

~~USB~~	der Stift	1	der	USB-Stick	, -s
der Text	der Block	2			,
radieren	der Kalender	3			,
bunt	~~der Stick~~	4			,
die Vokabel	das Heft	5			,
die Notiz	die Übung	6			,
der Termin	der Marker	7			,
die Sprache	der/das Gummi	8			,
hören	der Kurs	9			,

+ **=**

b)   Haben Sie auch ein Federmäppchen? Was ist in Ihrem Federmäppchen? Und was ist in Ihrer Tasche? Was liegt oder steht auf dem Tisch? Sprechen Sie mit Ihrem Partner.

In meinem Federmäppchen ist ein Stift, eine ... Und was ist in deinem Federmäppchen?
Auf dem Tisch steht eine Flasche. Die Flasche ist rot. ...

7   VERBKONJUGATION – THU THUY

Ergänzen Sie die Verbendungen.

Ich heiß⬚ Thu Thuy. Ich komm⬚ aus Vietnam. Jetzt leb⬚ ich in

Deutschland, in München. Ich b⬚ verheiratet und ha⬚ eine Tochter.

Sie heiß⬚ Ina. Mein Mann i⬚ Deutscher. Er heiß⬚ Rudi. Bis jetzt

sprech⬚ wir zu Hause nur Englisch. Aber jetzt lern⬚ ich Deutsch.

Ich besuch⬚ einen Deutschkurs. Vielleicht studier⬚ ich später; ich wei⬚ es noch nicht. Der Kurs i⬚ am

Vormittag, dann ha⬚ meine Tochter Schule. Das i⬚ sehr praktisch. Im Moment ha⬚ sie aber Ferien.

8   IM SCHREIBWARENLADEN

Hören Sie das Gespräch im Schreibwarenladen und kreuzen Sie an. Richtig oder falsch?

R	F	1	Die Kundin braucht Stifte für den Unterricht.
R	F	2	Die Kundin kauft einen blauen und einen schwarzen Kugelschreiber.
R	F	3	Der Kugelschreiber kostet 1,79 €.
R	F	4	Die Kundin kauft 12 Bleistifte für 2,49 €.
R	F	5	Ein Bleistift kostet 29 Cent.
R	F	6	Die Kundin kauft vier Textmarker.
R	F	7	Die Kundin kauft zwei Schreibblöcke.
R	F	8	Alles zusammen kostet 6,93 €.

9 JA – NEIN – DOCH

Ordnen Sie zu.

1	Mag er sie etwa nicht mehr?	A ich habe keine Lust.
2	Hast du deine Brille dabei?	B ich möchte nichts mehr.
3	Möchtest du noch eine Portion?	C ich habe große Angst!
4	Hast du keine Angst vor der Prüfung?	D ich schreibe einen Test.
5	Gehen wir jetzt los?	E er hat keine Zeit.
6	Hast du Lust auf Kino?	F sie lernt noch.
7	Schreibst du nicht morgen einen Test?	G wir gehen jetzt.
8	Lernt sie immer noch für den Deutschkurs?	H sie liegt in meiner Tasche.
9	Besucht er im Sommer seine Familie?	I er mag sie immer noch sehr.

a Ja,
b Nein,
c Doch,

1	2	3	4	5	6	7	8	9

10 NEGATION

a) Formulieren Sie Fragen zu den Antworten.

1 _____

– Ja, ich esse gern Kartoffelsalat mit Würstchen.

2 _____

– Ja, ich habe Geschwister.

3 _____

– Ja, ich komme vom Mars.

4 _____

– Ja, ich schreibe gern E-Mails.

5 _____

– Ja, das ist Milch in meiner Tasse.

6 _____

– Ja, ich heiße Lena.

7 _____

– Ja, Deutsch ist eine schwere Sprache.

8 _____

– Ja, ich lerne noch.

9 _____

– Ja, wir kaufen das Auto.

10 _____

– Ja, ich bin auch ein Fußballfan.

11 _____

– Ja, das sind Studenten.

12 _____

– Ja, er kommt auch aus Nürnberg.

13 _____

– Ja, ich bin Deutscher.

14 _____

– Ja, wir reisen viel.

b)   Verneinen Sie nun die Fragen aus a).

1   *Nein, ich* _____

2   _____

3   _____

4   _____

5   _____

6   _____

7   _____

8   _____

9   _____

10 _____

11 _____

12 _____

13 _____

14 _____

11   FRAGEN AN DEN PARTNER

Notieren Sie weitere Fragen und sprechen Sie mit Ihrem Partner.

Partner A	Partner B
• Schläfst du sonntags lange?	• Fährst du oft Taxi?
• Arbeitest du montags?	• Wäschst du freitags Wäsche?
• Reist du gern?	• Gibst du mir 100 €?
• Was liest du gern?	• Siehst du den Lehrer?
• Sprichst du Englisch?	• Heißt du Sara?
• Trägst du gern Jeans?	• Sammelst du Briefmarken?
• Isst du gern Pizza?	• Klingelt jetzt das Handy?
• Fährst du Fahrrad?	• Triffst du morgen deinen Freund / deine Freundin?
• Rechnest du gern?	
• …	• …

12 VERBKONJUGATION – MINI-DIALOGE

Ergänzen Sie die passenden Verben und konjugieren Sie. Manche Verben müssen Sie mehrfach verwenden.

bitten enden fahren gehen haben heißen klingeln kommen machen reisen regnen schlafen schließen sein
sprechen wohnen zeichnen

1 ■ Ich bin Helga. Wer _____ ihr?

   ♦ Wir _____ Felipe Dominguez und Mary Robinson.

   ■ Woher _____ ihr?

   ♦ Mary _____ aus Irland und ich _____ aus Spanien.

2 ● Wie _____ dein Name?

   ◆ Ich _____ Xiao Mei.

   ● Wo _____ du?

   ◆ Ich wohne in Berlin.

   ● Welche Sprachen _____ du?

   ◆ Ich _____ Chinesisch, Englisch und ein bisschen Deutsch.

3 ■ _____ ihr jetzt bitte Übung 3?

   ♦ Ja, das _____ wir.

4 ● _____ du ein Smartphone?

   ♦ Ja, ich habe ein Smartphone.

   ● _____ das dein Smartphone?

   ♦ Nein, das _____ nicht mein Smartphone. Das ist das Smartphone von Elvira.

   [dring! dring! dring!] Moment, es _____ .

5 ■ Was _____ deine Hobbys?

   ♦ Meine Hobbys _____ Lesen, Computerspiele und Reisen.

   ■ Ach, Reisen? Und wohin _____ du am liebsten?

   ♦ Ich _____ gerne in die Karibik. Da _____ das Wetter so schön. Und die Leute

   _____ so freundlich.

6 Heute _____ das Wetter nicht schön. Es _____ . Pedro, _____ du bitte das

   Fenster?

7 Der ICE nach Frankfurt _____ heute auf Gleis 3.

8 Nächster Halt: Aachen Hauptbahnhof. Unsere Zugfahrt _____ dort. Wir _____ alle

   Fahrgäste auszusteigen. Auf Wiedersehen. Ausstieg in Fahrtrichtung links.

9 _____ du müde? Du _____ zu wenig! Warum _____ du erst um 23:00 Uhr

   ins Bett?

10 • Was   der Lehrer da?

    ◆ Er   eine Grafik.

    • Aha. Und was ist das?

    ◆ Ich weiß es auch nicht. Eine Banane? Ein Bus? Ein Salat ...?

11 ◆ Wie   Sie?

    ■ Ich   Krüger. Friedrich Krüger.

    ◆ Wann   Sie geboren?

    ■ Ich   am 1. April 1980 geboren.

    ◆ Wie   die Adresse?

    ■ Friedrichstraße 356 in 10969 Berlin.

12 • Hallo!   der Platz noch frei? Alle anderen Tische   leider besetzt.

    ◆ Klar! Setz dich!

13 FRAGEN UND ANTWORTEN – PLAN FÜR MORGEN

a) Bilden Sie W-Fragen oder Aussagessätze für den Dialog.

■ machen: was / du / morgen / ?

◆ fahren: ich / Köln / nach / .

■ haben: du / keinen Unterricht / ?

◆ sein: nein / der Lehrer / krank / .

■ sein: er / wie lange / krank / ?

◆ sein: er / bis Montag / da / nicht / .

■ machen: du / in Köln / was / ?

◆ gehen: ich / zuerst / ins Museum / .

■ machen: und / du / was / danach / ?

🖉 b) Wie geht der Dialog weiter? Schreiben Sie.

14 SCHREIBKRAM

a) Lesen Sie den Text. Lesen Sie die fett markierten Wörter. Wer oder was ist das? Ergänzen Sie die Bedeutung in der linken Spalte.

er = _____

er = _____

er = _____

Li Wang geht in ein Schreibwarengeschäft. Morgen beginnt sein Deutschkurs und **er** braucht noch ein paar Dinge. Li ist ein wenig nervös. Ein bisschen Deutsch spricht **er** schon, aber ... Da sieht er einen Verkäufer. Hoffentlich versteht **er** Li – und hoffentlich versteht Li auch den Verkäufer.

Verkäufer: Bitte schön?

5 Li Wang: Guten Tag. Ich brauche einen Ordner, einen Schreibblock, einen Anspitzer und einen Radiergummi.

Verkäufer: Einen Augenblick, das haben wir gleich.

Der Verkäufer holt die Sachen und legt sie auf einen Tisch.

Verkäufer: Brauchen Sie sonst noch etwas?

10 Li Wang: Vielleicht ein Lineal. Ich habe keins.

Verkäufer: Wie lang?

Li Wang: Nein, Li Wang.

Verkäufer: Wie bitte?

Li Wang: Ich heiße Li Wang.

15 Verkäufer: Ach so! Nein, ich meine das Lineal! Wie lang? 10 Zentimeter, 20 Zentimeter, 30 ...?

Li Wang: Oh, Entschuldigung! Ich spreche nicht viel Deutsch. – Nur 20 Zentimeter.

Verkäufer: Sie sprechen 20 Zentimeter Deutsch?

Li Wang: Nein, ich meine das Lineal ...

Beide lachen. Der Verkäufer holt das Lineal, dann bezahlt Li.

beide = _____

Sie = _____

er = _____

20 Verkäufer: Das macht zusammen 14 Euro 30. Brauchen **Sie** eine Tüte?

Li Wang: Nein, eine Tüte brauche ich nicht. Ich habe einen Rucksack.

Verkäufer: Also, ich finde, Sie sprechen sehr gut Deutsch. Besuchen Sie einen Kurs?

Li Wang: Noch nicht, **er** beginnt erst morgen.

Verkäufer: Na dann, viel Spaß!

25 Li Wang: Danke sehr! Auf Wiedersehen.

Verkäufer: Auf Wiedersehen.

b) Beantworten Sie die Fragen in Stichworten.

1 Wann beginnt der Deutschkurs? _____

2 Wie geht es Li? _____

3 Was kauft Li im Schreibwarenladen? _____

4 Wie lang ist das Lineal? _____

5 Wie transportiert Li die Einkäufe? _____

1 HIER ESSE ICH!

Wie heißen diese Orte? Ordnen Sie zu. Was isst oder trinkt man hier? Ergänzen Sie.

die Bäckerei   die Bar   die Eisdiele   der Imbiss   die Mensa

das Café

2 LIEBLINGSRESTAURANTS

Hören Sie die Texte und ergänzen Sie die fehlenden Informationen.

	Person 1	Person 2	Person 3	Person 4
Wie heißt das Restaurant?	Sukhothai	Akl	Zum Schmied	Polonia
Aus welchem Land kommen die Gerichte?		Libanon		
Welche Speisen gibt es dort?				Piroggi,
Wie sind die Preise?	bezahlbar, okay			
Wie sind die Kellner?	—		sehr nett	—
Wie sieht das Restaurant aus?	—	schöne Möbel		—

3 ARTIKEL IM AKKUSATIV

a) Ergänzen Sie den bestimmten Artikel im Akkusativ.

1 Sehen Sie _____ Fotos an.

2 Schreiben Sie _____ Wort bitte an die Tafel.

3 Markieren Sie _____ Satz.

4 Ergänzen Sie _____ Text.

5 Hören Sie _____ Diktat.

6 Ergänzen Sie _____ Lücken.

b) Ergänzen Sie den unbestimmten Artikel im Akkusativ.

1 Die Gäste bestellen _____ Pizza.

2 Heute kaufe ich _____ Kühlschrank.

3 Haben Sie _____ neues Haus?

4 Brauchen Sie _____ Schere?

5 Im Kursraum haben wir _____ Tafel.

6 Möchten Sie _____ Apfel?

c) Ergänzen Sie den Negationsartikel im Akkusativ.

1 Nein, ich habe _____ Hunger.

2 Hast du heute _____ Lust auf Sport?

3 Nein, ich habe _____ Stress.

4 Ich habe heute _____ Hausaufgaben für euch.

5 Es tut mir leid, ich habe _____ Zeit.

6 Bezahlst du für mich? Ich habe leider _____ Geld.

4 AKKUSATIV BENUTZEN – WAS HAT ER/SIE DABEI?

Arbeiten Sie zu zweit. Fragen Sie Ihren Partner nach den fehlenden Informationen und ergänzen Sie sie. Antworten Sie Ihrem Partner.

Partner A

Partner A: Was hat Tim dabei?
Partner B: Tim hat eine Uhr dabei.

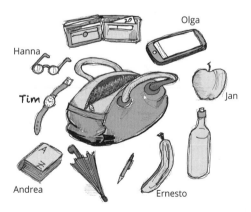

Meine Informationen:

Hanna: *eine Brille*   Ernesto: _____

Olga: _____   Andrea: _____

Jan: _____

Informationen von Partner B:

Tim: *eine Uhr*   Anna: _____

Enya: _____   Luca: _____

Ole: _____

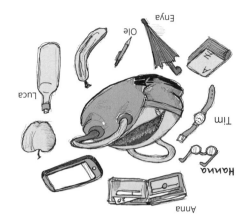

Partner B
Partner B: Was hat Hanna dabei?
Partner A: Hanna hat eine Brille dabei.

Meine Informationen:

Tim: **eine Uhr** Anna:

Enya: Luca:

Ole:

Informationen von Partner A:

Hanna: **eine Brille**  Ernesto:

Olga: Andrea:

Jan:

5 EIN ETWAS ANDERER DEUTSCHUNTERRICHT

Was ist heute anders? Lesen Sie den Text und beantworten Sie die Fragen.

Die Lehrerin kommt in den Kursraum und sagt: „Heute gibt es keinen Unterricht im Kursraum. Es ist einfach zu warm! Der Deutschunterricht findet heute im Eiscafé statt!" Die Schüler freuen sich, nehmen ihre Taschen und verlassen die Sprachschule. Im Eiscafé bekommt jeder eine Karte. Es gibt viele leckere Eisbecher. Alle Schüler bestellen ihr Eis auf Deutsch. Zehn Schüler nehmen ein Spaghettieis.
5 Das sieht aus wie Nudeln mit Tomatensoße, aber es ist in Wirklichkeit Vanilleeis mit Sahne und Erdbeersoße. Dieses Eis ist nicht italienisch! Es kommt aus Mannheim, das ist eine Stadt in Süddeutschland. Fünf Schüler nehmen einen Exotik-Eisbecher mit viel Obst. Die Lehrerin und vier Schüler nehmen einen Nussbecher. Alle haben ihr Eis, jetzt beginnt die Lehrerin mit dem Unterricht. Deutschunterricht im Eiscafé – so macht Lernen Spaß!

1   Welche Eisbecher zeigen die Bilder? Wer isst welchen Eisbecher? Notieren Sie.

1

2

3

Wer?

2   Kreuzen Sie an. Richtig oder falsch?

R	F	1	Heute ist der Unterricht im Eiscafé.
R	F	2	Die Schüler lassen ihre Taschen in der Sprachschule.
R	F	3	Zehn Schüler wollen kein Eis, sie essen Nudeln mit Tomatensoße.
R	F	4	Die Lehrerin nimmt einen Exotik-Eisbecher.

3 Warum ist der Unterricht heute nicht im Kursraum?

4 Wie bestellen die Schüler ihr Eis?

5 Woher kommt Spaghettieis?

6 AKKUSATIV – WIE FINDEST DU ...?

a) Im Second-Hand-Shop: Ergänzen Sie die bestimmten Artikel.

1 **Den** Kugelschreiber hier finde ich praktisch. 6 ___ Winterjacke finde ich schön.

2 ___ Tasche da finde ich gut. 7 ___ Handy finde ich zu alt.

3 ___ Bett finde ich bequem. 8 ___ Handschuhe finde ich sehr warm.

4 ___ Wörterbuch finde ich nützlich. 9 ___ Computer finde ich auch zu alt.

5 ___ Sportschuhe hier finde ich hässlich. 10 ___ Schreibtischstuhl da finde ich bequem.

 b) Bilden Sie jetzt eigene Beispiele. Fragen Sie auch Ihren Partner.

1 Wie findest du ___ ? –

___ finde ich ___ .

2 Wie findest du ___ ? –

___ finde ich ___ .

3 Wie findest du ___ ? –

___ finde ich ___ .

4 Wie findest du ___ ? –

___ finde ich ___ .

c) Ergänzen Sie die unbestimmten Artikel und die Personalpronomen im Akkusativ. Machen Sie einen Strich (/), wenn kein Artikel steht.

1 Ich habe **einen** Kugelschreiber. Ich finde **ihn** praktisch.

2 Ich habe ___ Tasche. Ich finde ___ gut.

3 Ich habe ___ Bett. Ich finde ___ bequem.

4 Ich habe ___ Wörterbuch. Ich finde ___ nützlich.

5 Ich habe ___ Sportschuhe. Ich finde ___ hässlich.

6 Ich habe ___ Winterjacke. Ich finde ___ schön.

7 Ich habe ___ Handy. Ich finde ___ praktisch.

8 Ich habe ___ Handschuhe. Ich finde ___ sehr warm.

9 Ich habe ___ Computer. Ich finde ___ nützlich.

Schreibtischstuhl. Ich finde   bequem.

11   Ich habe   Freund /   Freundin. Ich finde   /   sehr nett.

7   ARTIKEL UND PERSONALPRONOMEN IM AKKUSATIV

Ergänzen Sie die passenden Artikel und Personalpronomen im Akkusativ.

1   Li braucht   **einen**   Bleistift,   Radiergummi und   Ordner.

2   Li sieht   Verkäufer und spricht   an.

3   Der Verkäufer versteht   sehr gut.

4   Li braucht auch   Anspitzer und   Lineal.

5   Der Verkäufer sagt: „   Augenblick bitte!". Er holt   Sachen.

6   „Brauchen Sie   Tüte?", fragt der Verkäufer. „Nein, danke", antwortet Li. Er braucht

      Tüte, denn er hat   Rucksack. Er trägt   auf der Schulter.

7   Li lernt Deutsch und besucht bald   Deutschkurs.

8   OBST UND GEMÜSE IM AUGUST

a)   Sehen Sie sich das Foto an. Wie heißt das Obst/Gemüse? Notieren Sie. Arbeiten Sie mit dem Wörterbuch.

Obst im August   Gemüse im August

1 die Heidelbeere, -n

b)   Hören Sie die Ansage im Supermarktradio. Was kosten die folgenden Obst- und Gemüsesorten?

1   Brombeeren:

2   Zucchini:

3   Blumenkohl:

c)   Hören Sie den Text noch einmal. Welche Obst- und Gemüsesorten sind im Angebot? Markieren Sie sie auf dem Bild oben. Welches Obst/Gemüse nennt der Sprecher nicht? Streichen Sie die Bilder durch.

9 LEBENSMITTEL KAUFEN

Partner A kauft Lebensmittel. Partner B ist der Verkäufer. Sprechen Sie mit Ihrem Partner und bilden Sie Sätze mit Akkusativ.

Käufer:

Ich koche/mache/backe ...

Ich brauche ...

Ich suche ...

Ich nehme ...

Haben Sie ...?

Verkäufer:

Wollen Sie ...?

Brauchen Sie ...?

Ich habe ...

Käufer: *Guten Tag! Ich mache heute Abend einen Sommersalat und brauche noch einen Kopfsalat.*

Verkäufer: *Gern! Brauchen Sie auch noch Tomaten? Die sind heute im Angebot.*

Käufer: *Ja, bitte...*

10 LIEBLINGSESSEN

Sprechen Sie mit Ihrem Partner über die folgenden Punkte. Stellen Sie Fragen und geben Sie Antworten.

- Speisen und Getränke am Morgen/Mittag/Abend
- Lieblingsessen
- Lieblingsgetränk
- Fleisch
- Gemüse
- Süßigkeiten
- ...

Was ...?

Um wie viel Uhr ...?

Magst du ...?

Isst du gern ...?

...

11 ESSEN UND TRINKEN

a) Finden Sie die versteckten Wörter und ordnen Sie zu. Ergänzen Sie die Artikel und den Plural.

R	O	A	T	R	C	U	R	R	Y	W	U	R	S	T
J	M	M	J	V	Ä	L	C	F	S	F	G	B	L	E
M	A	I	K	T	E	F	J	D	Ö	N	E	R	J	N
T	M	T	J	M	R	Z	O	K	I	Ä	C	T	C	N
B	G	T	N	A	D	U	B	A	N	A	N	E	O	Q
L	G	A	X	B	B	C	G	R	A	L	W	I	L	H
C	T	G	K	E	E	C	A	F	C	Q	B	I	A	A
X	O	E	A	N	E	H	J	R	S	Y	M	G	G	M
Z	M	S	F	D	R	I	Q	Ü	A	O	N	U	K	B
X	A	S	F	B	E	N	H	H	F	R	G	R	A	U
G	T	E	E	R	P	I	C	S	T	A	H	K	S	R
E	E	N	E	O	X	L	C	T	K	N	J	E	T	G
R	Z	R	H	T	G	M	G	Ü	O	G	K	Z	E	E
G	T	S	E	F	L	A	S	C	H	E	E	X	N	R
E	B	E	C	H	E	R	D	K	D	D	O	S	E	O

Obst

die Orange, -n (orange)

Getränke

Verpackungen

Gemüse

Fastfood

Mahlzeiten

b) Welche Farben haben das Obst, das Gemüse und die Getränke aus a)? Schreiben Sie die Farben hinter die Lebensmittel. Manchmal gibt es mehrere Lösungen.

c) Schreiben Sie Ihr Lieblingsrezept.

Ich liebe Obstsalat. Ich nehme zwei Bananen und einen Apfel. Ich schneide ...

nehmen + A	in die Schüssel geben + A
schneiden + A	mischen + A
schälen + A	...

12   ARTIKEL – TANDEMPARTNER

a) Ergänzen Sie: unbestimmter oder bestimmter Artikel, Negationsartikel oder kein Artikel?

Tandempartner gesucht!

Liebe Leute,

ich heiße Gabriela, bin 21 Jahre alt und komme aus Brasilien. Ich studiere _____ (1) Jura und bin seit

drei Monaten in Deutschland. Dreimal in der Woche besuche ich _____ (2) Sprachkurs. Ich brauche aber

noch _____ (3) Hilfe beim Sprechen. Deshalb suche ich jetzt _____ (4) Tandempartner. Hast du

_____ (5) Lust auf[1] _____ (6) Treffen in der Mensa? Dann melde dich unter der Nummer 01157 –

89 34 93 56 oder schreib mir _____ (7) E-Mail! Wir können zusammen _____ (8) Markt besuchen,

einkaufen und etwas kochen. Du hast _____ (9) Hunger? Dann machen wir etwas anderes: Wir sehen

_____ (10) Film an und sprechen darüber. Darauf hast du auch _____ (11) Lust? Dann machen wir

zusammen _____ (12) Sport oder wir gehen tanzen. Du hast bestimmt auch _____ (13) Idee. Ich

freue mich auf[2] _____ (14) E-Mail oder _____ (15) Anruf von dir!

Bis bald und viele Grüße

[1] Lust haben auf + A
[2] sich freuen auf + A

b) Antworten Sie Gabriela oder schreiben Sie selbst einen Zettel wie Gabriela und suchen einen Tandempartner.

13   WAS ISST DU?

a) Stellen Sie Ihrem Partner Fragen und geben Sie Antworten.

- Isst du Fleisch?
- Was isst oder trinkst du in der Pause?
- Welches deutsche Essen ist gut/nicht gut?
- Wann frühstückst du sonntags?
- Welches Gemüse isst du gern?

- Welches Obst isst du gern?
- Was ist dein Lieblingsessen?
- Was isst du heute Abend?
- Was ist eine Spezialität in deinem Land?
- Wer kocht zu Hause?

b) Schreiben Sie einen Text zu Ihrem Essverhalten. Beantworten Sie die Fragen.

- Was essen Sie morgens, mittags und abends?
- Wann und was frühstücken Sie sonntags?
- Welches Obst und Gemüse essen Sie gern?
- Essen Sie Fleisch?
- Welches deutsche Essen schmeckt Ihnen (nicht) gut?
- Was ist Ihr Lieblingsessen?
- Was trinken Sie gern?
- Was ist eine Spezialität in Ihrem Land?
- Was essen Sie heute Abend? Wer kocht?

14 EINE FALAFEL, BITTE!

Hören Sie den Text und ergänzen Sie die Lücken.

Heute keine Lust auf   (1)? Dann nehmen Sie doch mal eine   (2), die vegetarische

      (3) zum Dönerfleisch.

Die Falafel ist ein arabisches   (4) und ist ein beliebter   (5). Manche Leute sagen,

die Falafel   (6) aus   (7), andere sagen, sie stammt aus dem   (8)

oder Palästina. In   (9) gibt es die Falafel seit   (10) der 1980er Jahre, meistens

     (11) sie arabische Imbissstände. Auch türkische Läden   (12) das Gericht an

     (13), die   (14) Döner   (15) wollen.

Aber was   (16) eigentlich Falafeln? Falafeln   (17) frittierte Bällchen aus

     (18) oder Kichererbsen, Kräutern und Gewürzen. Auf der Hand isst man das Gericht mit

     (19) und   (20).

Guten   (21)!

15 ONLINE BESTELLEN

Füllen Sie das Formular für den Lieferservice aus.

INSPIRATION

DEINE LIEFERADRESSE

Vorname*

Nachname*

Straße*

Hausnr.*

Stadt

PLZ

Firma (optional)

Besondere Hinweise (optional)

Bestellbestätigung & Rückfragen

E-Mail*

O Kostenpflichtige Bestellbestätigung per SMS

*Pflichtfelder

ZAHLUNGSART AUSWÄHLEN

O SEPA-Lastschrift O Sofortüberweisung

● Kreditkarte O Barzahlung

O Ja, ich möchte den Newsletter von Lieferservice mit Angeboten erhalten. Weitere Informationen zu Zustimmung und Widerrufsrecht finde ich **hier**.

KAUFEN

16 MEINE ERSTEN WOCHEN IN DEUTSCHLAND

Lesen Sie den Blog und ergänzen Sie die Wörter. Konjugieren Sie die Verben und schreiben Sie Wörter am Satzanfang groß.

du er gehen haben (2x) heißen ich ihr kommen (3x) schreiben sein (3x) sie sprechen (2x) studieren telefonieren trinken was wie wir woher (2x)

noras deutschblog

http://norasdeutschblog.de

DEUTSCHLANDBLOG

Start   Archiv   Storys   Deutschlandtipps   Autor

Deutschlandblog – meine ersten Wochen in Deutschland

Hallo Leute, wie _____ (1) es euch? Heute lest _____ (2) zum ersten Mal meinen

Deutschlandblog. Ich _____ (3) Alexandros. Ich _____ (4) über meine erste Woche

in Deutschland. _____ (5) komme ich? _____ (6) bin Grieche, ich _____ (7)

aus Athen. Alle fragen: Alexandros, _____ (8), alt bist _____ (9)? Also, ich

_____ (10) zwanzig Jahre alt. Ich _____ (11) Medizin. Ich _____ (12) oft mit

meinen Eltern. _____ (13) fragen mich: _____ (14) du glücklich in Deutschland? Und

ich sage: Ja, ich bin glücklich. Sie fragen auch: _____ (15) du viel Deutsch? Und ich antworte:

Ja, ich spreche jeden Tag Deutsch. Heute war wieder Deutschkurs. Der Lehrer _____ (16) nett.

_____ (17) heißt Herr Schiller. _____ (18) sind achtzehn Leute im Kurs. Die anderen

Kursteilnehmer _____ (19) aus der ganzen Welt. Der Lehrer stellt viele Fragen:

_____ (20) kommen Sie? _____ (21) machen Sie in Deutschland? _____ (22)

Sie auch Englisch? Am Ende _____ (23) ich Kopfschmerzen. Nach dem Kurs _____ (24)

ich meistens mit Gisa einen Kaffee in der Cafeteria. Sie sitzt im Kurs neben mir und _____ (25)

aus Brasilien. Sie ist sehr nett. Morgen _____ (26) ich wieder Deutschkurs. Ich freue mich schon!

Das war eine gute erste Woche.

1   ZAHLEN

a)   Lesen Sie die Zahlen laut und schreiben Sie die Zahlen.

11	*elf*	27	
111		99	
1111		16	
12		31	
34		52	
205		43	
1006		66	

b)   Lesen Sie die Rechenaufgaben laut vor. Sagen Sie dann das Ergebnis und schreiben Sie es auf.

$2 + 1 =$	*3 (drei)*	$23 + 14{,}3 =$	
$23 - 15 =$		$1.234 - 400 =$	
$30 - 10 =$		$5123 + 22 =$	
$100 - 7 =$		$12{,}8 + 24 =$	

2   PREISE

a)   Rechnen Sie und schreiben Sie die Antworten in ganzen Sätzen.

1,19 €   1,49 €   2,50 €   1,20 €   0,99 €   0,59 €   0,49 €   2,29 €

1   Was kosten zwei Orangen?   *Sie kosten zwei Euro achtunddreißig.*

2   Wie viel kostet das Obst?

3   Wie viel kostet eine Tafel Schokolade und eine Tüte Milch?

4   Wie viel kosten drei Salatköpfe?

5   Wie viel kosten zwei Tüten Lakritz?

b)   Schreiben Sie die Preise in Cent.

1   Orangen kosten   *einhundertneunzehn Cent.*

2   Kirschen kosten

3   Bananen kosten

4   Milch kostet

5   Salat kostet

6   Schokolade

7   Lakritz

1 HOBBYS

a) Welches Verb passt? Ordnen Sie zu.

Basketball Boot Computer einkaufen Fahrrad Fotos Fußball Gitarre ins Kino ins Theater Karten Klavier Musik
Schlittschuh Skateboard Ski Snowboard spazieren Sport Tennis Theater wandern

spielen	machen	fahren	gehen

b) Welche Verben passen zu welchen Nomen? Ordnen Sie zu. Es sind mehrere Lösungen möglich.

1	Pferde	A	lesen
2	Bücher	B	hören
3	Bilder	C	singen
4	Musik	D	reiten
5	Filme	E	malen
6	Geschichten	F	schreiben
7	Lieder	G	sehen

1	2	3	4	5	6	7

c) Bilden Sie Sätze zu b). Schreiben Sie in Ihr Heft.

2 TAGESZEITEN

Was gehört zusammen? Ordnen Sie zu. Ergänzen Sie die Adverbien.

1	der Morgen – *morgens*	A	22 bis 6 Uhr
2	der Vormittag –	B	6 bis 9 Uhr
3	der Mittag –	C	12 bis 14 Uhr
4	der Nachmittag –	D	18 bis 22 Uhr
5	der Abend –	E	14 bis 18 Uhr
6	die Nacht –	F	9 bis 12 Uhr

1	2	3	4	5	6

3 (UN)TRENNBARE VERBEN

a) Ergänzen Sie die Verben und markieren Sie die untrennbaren Verben. Manche Lücken bleiben leer (/).

1 Der Film _____ um 20:30 Uhr _____ (anfangen) und _____ um 22:15 Uhr _____ (aufhören).

2 Elke _____ eine warme Jacke _____ (anziehen).

3 Li _____ erst um 00:30 Uhr _____ (einschlafen).

4 Die Lehrerin _____ über ihren Tag _____ (berichten).

5 Der Student _____ sich für seine Verspätung _____ (entschuldigen).

6 Nachmittags _____ viele Studenten im Supermarkt _____ (einkaufen).

7 Der Lehrer _____ deutsche Bücher _____ (empfehlen).

8 Ming _____ den Computer _____ (einschalten).

9 Der Professor _____ die Formel _____ (erklären).

10 Juncheng _____ das Licht _____ (ausschalten).

11 Die Freundin _____ eine Nachricht _____ (hinterlassen).

b) Ergänzen Sie die passenden Verben. Trennbar oder nicht? Manche Lücken bleiben leer (/).

anrufen   anziehen   aufstehen   ausschalten   beenden   beginnen   besuchen   erzählen   einschlafen   fernsehen   genießen   losfahren   verschlafen   weiterfahren

Klaus Heinrich ist Taxifahrer von Beruf. Um sieben Uhr klingelt sein Wecker. (1) Klaus Heinrich _____ immer pünktlich _____, er _____ nie _____! (2) Er duscht und _____ seine Kleidung _____. Dann geht er in die Küche und trinkt eine Tasse Kaffee. Er isst ein Brötchen mit Käse und ein Ei. (3) Um acht Uhr _____ seine Arbeit _____. Sein Taxi steht vor seiner Haustür. (4) Von dort _____ er sofort zum ersten Kunden _____. Bis zwölf Uhr fährt er Taxi, dann macht er eine Pause und isst etwas zu Mittag. (5) Um halb eins _____ er _____. (6) Gegen sechs Uhr _____ er seine Arbeit _____, dann hat er Feierabend und geht nach Hause. Dort liest er Zeitung oder spielt Computer. (7) Manchmal _____ er auch seinen Bruder auf dem Handy _____. (8) Dann _____ die beiden lange Geschichten _____ von ihrem Leben und von früher und _____ dabei ein kühles Bier _____. Abendessen isst er um 19 Uhr. (9) Am Abend _____ er Freunde _____ oder _____ _____. (10) Gegen 22 Uhr spätestens _____ er den Fernseher _____ und geht ins Bett. (11) Wenige Minuten später _____ er schon _____.

4 WAS MACHEN DIE PERSONEN?

Bilden Sie Sätze. Konjugieren Sie das Verb. Mehrere Lösungen sind möglich.

1 ihre Mutter / Susanne / anrufen / jeden Abend / .

2 aufräumen / Li / das Wohnzimmer / täglich / .

3 Paul / fernsehen / gern / vor dem Schlafen / .

4 seine Familie in Ecuador / besuchen / Juan Carlos / jeden Sommer / .

5 sein Auto / er / verkaufen / für 11.000 Euro / .

6 anfangen / der Deutschkurs / jeden Morgen / um 8:30 Uhr / .

7 mitkommen / du / heute Abend / ?

8 nie / vor Mitternacht / Raphaela / einschlafen / .

9 der Lehrer / in seinem Kurs / unterrichten / sehr gern / .

10 vermissen / Lucio / seine Freundin aus Rom / sehr / .

5 MEIN HOBBY

Schreiben Sie einen Text über Ihre Hobbys. Beantworten Sie dabei die Fragen.

- Was ist Ihr Hobby? Was macht man dabei? Wie geht es?
- Wie viel Zeit haben Sie für das Hobby?
- Zu welchen Tageszeiten / An welchen Wochentagen machen Sie das Hobby?

6 PUTZPLAN

a) Was gehört zusammen? Ordnen Sie zu. Es gibt mehrere Lösungen.

1	aufräumen	A	Boden
2	wischen	B	Toilette
3	aufhängen	C	Geschirr
4	spülen	D	Mülleimer
5	bügeln	E	Wäsche
6	staubsaugen	F	Wohnung
7	putzen	G	Essen
8	kochen		
9	leeren		
10	fegen		
11	abtrocknen		
12	waschen		

1	2	3	4	5	6	7	8	9	10	11	12

b) Bilden Sie Beispielsätze zu a).

c) Sven, Mira, Hassan und Finn wohnen in einer WG. Sie haben einen Putzplan. Wer macht wann was? Schreiben Sie 10 Sätze in Ihr Heft

Am Montag räumt Sven die Wohnung auf.

Aufgaben	Mo	Di	Mi	Do	Fr	Sa	So
Wohnung aufräumen	Sven			Mira			
Bad und Klo putzen	Mira			Hassan			
Lebensmittel einkaufen	Hassan			Finn			
staubsaugen und Boden wischen		Finn			Sven		
Wäsche waschen und aufhängen			Sven				
Geschirr spülen und abtrocknen	Finn	Sven	Mira	Hassan	Finn	Sven	Mira

d) Und wann erledigen Sie Ihre Hausarbeit? Tragen Sie Ihren persönlichen Putzplan in die Tabelle ein. Sprechen Sie dann mit Ihrem Partner und ergänzen Sie seine Informationen in einer anderen Farbe.

Aufgaben	Mo	Di	Mi	Do	Fr	Sa	So

7 (UN)TRENNBARE VERBEN UND *DANN/DANACH*

Bilden Sie Sätze. Konjugieren Sie die Verben und deklinieren Sie die Artikel.

1   aufstehen: um 6:00 Uhr / Maria / jeden Morgen / .

2   ankommen: d__ Kinder / in der Schule / um 8:00 Uhr / .

3   einschalten: d__ Computer / ich / dann / .

4   einkaufen: im Supermarkt / d__ Freundinnen / danach / .

5   besuchen: du / deine Schwester / heute / ?

6   unterschreiben: d__ Arbeitsvertrag / ich / und dann / .

7   machen: d__ Hausaufgaben / wir / morgens / .

8   beantworten: ihr / d__ Frage / am Abend / .

9   zurückkommen: ihr / wann / aus dem Urlaub / ?

8 *AM* UND *UM*

a) Lesen Sie die Informationen (rechts) und ergänzen Sie dann die Sätze.

1 Wann ist das Konzert? – _____ Samstag.

2 _____ wie viel Uhr beginnt das Konzert? – _____ 20 Uhr.

3 Wie viele Minuten dauert es? – Es dauert _____ Minuten.

4 Wann endet es? – _____ 22:30 Uhr.

5 _____ öffnet die Post? – Sie öffnet _____ 9 Uhr.

6 Wann schließt sie? – Sie schließt _____ 18 Uhr.

7 Ist die Post _____ Sonntag geöffnet? – Nein, _____ Sonntag ist die Post geschlossen.

> **Konzert**
> Nächsten Samstag hier!
> Beginn: 20 Uhr
> Ende: 22:30 Uhr

> **Post**
> Öffnungszeiten:
> Mo - Sa 9:00 - 18:00 Uhr

b) Ergänzen Sie *am* oder *um*.

1 _____ Sonntag gehe ich _____ 12 Uhr schwimmen.

2 _____ Wochenende spiele ich immer _____ Nachmittag Tennis.

3 _____ wie viel Uhr kommt der Zug?

4 Der Film beginnt _____ Samstag _____ 20:15 Uhr, aber _____ Sonntag schon _____ 19:00 Uhr.

5 Kommst du _____ Dienstag _____ 11 oder _____ 12 Uhr?

6 _____ Mittwoch hat er _____ 13 Uhr einen Termin.

7 Meinst du _____ acht Uhr abends oder morgens?

8 Sie geht _____ Vormittag _____ 10:30 Uhr zum Arzt.

9 Die Party ist _____ Samstag. Sie beginnt _____ 21 Uhr.

10 Tut mir leid, aber _____ 18 Uhr habe ich _____ Freitag keine Zeit.

9 UHRZEITEN: FORMELL UND INFORMELL

a) Ergänzen Sie.

Man schreibt:	Man sagt formell:	Man sagt informell:
14:00 Uhr	Es ist vierzehn Uhr.	Es ist zwei Uhr.
16:30 Uhr	Es ist	Es ist
20:15 Uhr	Es ist	Es ist
11:45 Uhr	Es ist	Es ist
15:35 Uhr	Es ist	Es ist
17:25 Uhr	Es ist	Es ist
22:10 Uhr	Es ist	Es ist
23:55 Uhr	Es ist	Es ist
19:20 Uhr	Es ist	Es ist

b) Hören Sie die Uhrzeiten und ergänzen Sie die Tabelle in Stichworten.

	formell	informell
Gespräch 1		
Gespräch 2		
Gespräch 3		

10 ÜBER UHRZEITEN SPRECHEN

Sprechen Sie zu zweit über die Öffnungszeiten.

Wie lange hat ... geöffnet?

Wann öffnet/schließt ...?

... hat/ist von ... bis ... geöffnet/offen/auf.

... schließt/öffnet um ...

Hat/Ist ... montags/samstags ... geöffnet/offen/auf?

> Man hört:
> *Das Geschäft hat/ist geöffnet/offen/auf.*
> Man schreibt meistens:
> *Das Geschäft ist geöffnet.*

11 ANDREAS GEBURTSTAG

Lesen Sie die Fragen. Hören Sie dann den Dialog und beantworten Sie die Fragen.

1 Kreuzen Sie an. Richtig oder falsch?

R	F	1	Andrea feiert am nächsten Wochenende.
R	F	2	Die Feier findet am 5.9. statt.
R	F	3	Die Geburtstagsfeier ist an einem Freitag.
R	F	4	Julia kann nicht pünktlich zur Feier kommen.
R	F	5	Arne und Tobias verspäten sich nicht.
R	F	6	Arne und Tobias wohnen in Bochum.

2 Was passiert wann? Ordnen Sie zu.

1	18:30 Uhr	A	Die Pizza ist spätestens jetzt da.
2	19:15 Uhr	B	Julia hat Feierabend.
3	20:45 Uhr	C	Die Freunde sehen sich an Karneval.
4	elf nach elf	D	Die Geburtstagsfeier beginnt.

1	2	3	4

12 ORDINALZAHLEN – EVENTKALENDER SPORT

a) Sprechen Sie mit Ihrem Partner über die Sportereignisse.

- *Wann ist die Fußball-WM?*
- *Die WM ist am ...*

- *Wie lange dauert ...? / Von wann bis wann geht ...?*
- *Die WM dauert 3 Wochen. / Die WM geht vom ... bis zum ...*

	2020	2021	2022	2023
Januar		1.1. – 6.1. Skispringen in Oberstdorf		
Februar			6.2. Superbowl in Kalifornien	8.2. – 19.2. Biathlon-WM in Oberhof
März				
April				
Mai				
Juni				
Juli	27.7. – 9.8. Sommerolympiade in Tokyo	1.7. – 23.7. Tour de France		
August				
September				29.9. – 8.10. Turn-WM in Antwerpen
Oktober				
November			21.11. – 18.12. Fußball-WM in Katar	
Dezember				

b) Sie möchten zu einem dieser Events mit einem Freund/einer Freundin gehen. Schicken Sie ihr/ihm eine Voicemail. Nehmen Sie die Voicemail mit Ihrem Handy auf.

13 DIE HOCHZEITSPLANERIN

a) Ergänzen Sie die Verben in Klammern in der richtigen Form, die Artikelendungen und die Konjunktionen/ Adverbien *und*, *dann/danach*, *und dann/und danach* (ein Wort pro Lücke). Bei untrennbaren Verben und bei manchen Adjektiven bleiben Lücken leer (/).

das Brautpaar, -e
die Braut, ⸚e
der Bräutigam, -e

das Buffet, -s

(1) Nicola Gullisch _____ ein _____ interessanten Job (haben). (2) Nicola _____ Hochzeiten für Brautpaare (planen). (3) Die Brautpaare _____ d _____ Telefonnummer von Nicola meistens im Internet (finden). (4) Sie _____ sie _____ _____ ein _____ Termin mit ihr _____ (anrufen, verabreden). (5) _____ trifft Nicola d _____ zukünftige Braut und d _____ Bräutigam. (6) Bräutigam und Braut _____ Nicola ihre Traumhochzeit _____ (beschreiben). (7) Sie _____ ihr d _____ Anzahl der Gäste (nennen). (8) _____ _____ sie mit Nicola d _____ Preis für ihre Hochzeit _____ (besprechen). (9) Die meisten Brautpaare _____ zwischen 8.000 und 12.000 € für ihre Hochzeitsfeier _____ (bezahlen). (10) _____ Nicola ein _____ passende Location für die Feier _____ (aussuchen). (11) _____ sie _____ d _____ Essen für die Gäste _____ (bestellen). (12) Meistens _____ sie ein _____ großes Buffet _____ (bestellen). (13) _____ kann jeder Gast sein Lieblingsessen aussuchen. (14) Aber manchmal _____ d _____ Brautpaar ein _____ sehr speziellen Wunsch (haben). (15) Zum Beispiel _____ ein _____ Kundin von Nicola ein _____ blaue Hochzeit: blaue Dekoration, ein _____ blaue Hochzeitstorte und blaues Essen (möcht-). (16) Für Nicola _____ solche speziellen Wünsche sehr spannend _____ (sein).

b) Lesen Sie den Text noch einmal. Welche Aussage stimmt?

	A	Nicola Gullisch heiratet bald.
1	B	Nicola Gullisch arbeitet für Brautpaare.
	C	Der Job von Nicola Gullisch ist langweilig.

	A	Nicolas Nummer kann man nicht im Internet finden.
2	B	Nicolas Nummer kann man im Internet finden.
	C	Die Brautpaare treffen Nicola zuerst persönlich.

	A	Nicola plant ihre Traumhochzeit.
3	B	Nicola plant die Anzahl der Gäste.
	C	Das Brautpaar sagt Nicola die Anzahl der Gäste.

	A	Eine Hochzeit kostet meistens zwischen 8.000 € und 12.000 €.
4	B	Eine Hochzeit kostet oft mehr als 12.000 €.
	C	Nicola bekommt zwischen 8.000 € und 12.000 € vom Brautpaar.

	A	Nicola bestellt immer ein großes Buffet.
5	B	Ein großes Buffet gibt es nur bei großen Hochzeiten.
	C	Viele Brautpaare haben ein Buffet.

	A	Eine Kundin von Nicola wünscht sich eine blaue Hochzeit.
6	B	Nicola mag blaue Dekoration.
	C	Brautpaare finden spezielle Wünsche spannend.

14   TELEFONATE

 Arbeiten Sie zu zweit. Wählen Sie eine Situation und führen Sie ein Telefongespräch.

Partner A	Situation	Partner B
Sie rufen Ihren Freund an. Sie möchten gerne heute Abend ins Kino. Der Film beginnt um 20 Uhr. Morgen haben Sie keine Zeit.	1 Treffen mit einem Freund	Ihr Freund ruft sie an. Er will mit Ihnen ins Kino. Heute haben Sie leider keine Zeit, aber morgen oder am Wochenende passt es Ihnen.
Ihr Freund ruft Sie an, er kennt die Hausaufgaben nicht. Die Hausaufgabe ist auf einem Arbeitsblatt. Sie können Ihren kranken Freund am Nachmittag besuchen und das Arbeitsblatt mitbringen. Vereinbaren Sie eine Uhrzeit.	2 Mitschüler: Hausaufgaben	Sie sind krank und gehen heute nicht in den Deutschkurs. Sie kennen die Hausaufgaben nicht. Sie rufen einen Freund aus dem Deutschkurs an und fragen nach den Hausaufgaben.
Sie wollen zusammen für die Prüfung lernen. Finden Sie einen Termin. Sie haben am Dienstagnachmittag und am Mittwochvormittag Zeit. Am Wochenende sind Sie flexibel.	3 Termin für eine Lerngruppe	Sie wollen zusammen für die Prüfung lernen. Finden Sie einen Termin. Sie haben am Montagnachmittag und am Donnerstagvormittag Zeit. Am Wochenende sind Sie flexibel.
Sie sind im Supermarkt und kaufen für die WG ein. Gibt es noch Brot in der Wohnung? Sie wissen es nicht. Rufen Sie Ihren Mitbewohner auf dem Handy an. Sie haben nicht viel Zeit. In einer halben Stunde beginnt Ihr Basketballtraining.	4 Mitbewohner: Brot zu Hause?	Sie sitzen im Bus. Ihr Mitbewohner ruft sie an und fragt, ob es noch Brot zu Hause gibt. Sie wissen es nicht. Sie sind in einer halben Stunde zu Hause. Erst dann können Sie antworten.

15   EIN TAG IM LEBEN VON PROFESSOR KRUMRATH

Schreiben Sie den Tagesablauf von Professor Krumrath auf. Benutzen Sie dabei auch die Wörter *und, dann* und *danach*.

16 TAGE, MONATE UND JAHRESZEITEN

Finden Sie die Wörter und ordnen Sie zu. Ergänzen Sie die Artikel.

R	F	J	G	J	D	E	Z	E	M	B	E	R	Ä	A
J	M	G	Z	N	A	P	R	I	L	W	E	N	N	Q
S	O	M	M	E	R	V	M	B	N	T	T	R	E	W
T	N	Z	I	K	S	X	M	I	T	T	W	O	C	H
B	T	T	E	A	O	C	O	Ü	O	P	R	T	E	I
L	A	K	L	F	N	M	I	W	J	U	L	I	E	M
C	G	Z	L	K	N	S	D	Z	N	V	Z	T	Y	Z
X	R	U	M	E	T	P	U	S	A	M	S	T	A	G
R	E	L	A	E	A	L	Z	Y	G	H	M	Ü	U	T
J	I	M	I	H	G	Q	O	K	T	O	B	E	R	W
M	T	M	S	J	H	T	S	W	E	R	C	H	I	I
A	U	G	U	S	T	E	S	C	H	A	F	L	U	N
E	H	U	N	J	K	R	J	A	N	U	A	R	P	T
E	R	T	U	P	M	L	K	S	S	M	I	U	H	E
N	S	F	R	Ü	H	L	I	N	G	K	Ä	H	N	R

Tage	**Monate**	**Jahreszeiten**
der		

17 WIE SIND DIE JAHRESZEITEN?

Sprechen Sie mit Ihrem Partner über die folgenden Punkte. Stellen Sie Fragen und geben Sie Antworten.

- Jahreszeiten: Frühling, Sommer, Herbst, Winter
- in Ihrer Heimat / in Deutschland
- Wetter

- Aktivitäten
- Lieblingsjahreszeit
- *mögen / nicht mögen*

Gibt es …?

Von wann bis wann …?

Wie ist …?

Wie warm ist es in / im …?

Magst du …?

Was macht man …?

…

18 ZEIT

a) Ordnen Sie die Ausdrücke zu.

19.10.1979 2018 23:59 6. Mai 2003 Arbeitstag Februar Feierabend Feiertag Freitag, der 13. April Frühling
Frühsommer Geburtstag halb vier im Jahr 1990 Juli Mai Mitternacht Mittwoch Montag Morgen Nachmittag
Nacht November Punkt 9 Samstag Spätherbst Urlaubstag Viertel nach acht Vormittag Wintermonat Wochentag
zwanzig vor 10

Monat	Tageszeit	Uhrzeit	Tag

Datum	Jahreszeit		
		Jahreszahl	

b) Bringen Sie die Ausdrücke in eine sinnvolle Reihenfolge. Es gibt mehrere Lösungen.

1 gleich – später – jetzt – bald – sofort

2 gegen 10 Uhr – vor 10 Uhr – nach 10 Uhr – um 10 Uhr

3 morgen – übermorgen – vorgestern – heute

4 immer – nie – oft – manchmal – selten

5 heute Morgen – morgen früh – gestern früh – heute Mittag – gestern Abend

19 TEMPORALE PRÄPOSITIONEN

a) Ergänzen Sie die Präpositionen. Schreiben Sie die Satzanfänge groß.

ab am bei bis zum gegen im nach seit um von … bis (2x) vor

Heute ist mein 18. Geburtstag! Ich wache schon _____ (1) 6:00 Uhr auf und ziehe mich schnell an.

_____ (2) fünf Monaten freue ich mich auf diesen Tag. _____ (3) dem Frühstück fahre ich direkt

ein bisschen Auto, endlich habe ich ja meinen Führerschein! Ich glaube, _____ (4) 7 Uhr bin ich zurück,

ich habe keine Uhr dabei. _____ (5) 7:15 Uhr _____ (6) 7:45 Uhr frühstücke ich in Ruhe mit meinen

Eltern. Ich habe jetzt immer viel Zeit, denn _____ (7) heute fahre ich jeden Tag mit dem Auto zur Schule. Dann nehme ich auch meine Nachbarin mit und wir hören _____ m (8) Fahren laut Musik. Ich muss nur _____ (9) Winter sehr aufpassen. Hier in Bayern haben wir manchmal Schnee _____ (10) November _____ (11) März. Aber bald ist meine Schulzeit ja auch zu Ende. _____ (12) 14.4. ist mein letzter Schultag und dann habe ich nur noch Prüfungen _____ (13) 23. Juni. _____ (14) dem Schulabschluss will ich dann erst einmal ein Jahr ins Ausland gehen.

b) Ergänzen Sie die Präpositionen. Achten Sie auf die Satzanfänge.

bis (3x) bis zum (3x)

1 Kannst du mir dieses Buch ausleihen? – Ja gerne, aber gib es mir bitte _____ Wochenende zurück.

2 Wie lange willst du heute auf der Party bleiben? – _____ Ende!

3 Kannst du mich bitte _____ 18 Uhr zurückrufen?

4 Bis wann musst du dich entscheiden? – Schon bald. Ich habe nur noch _____ Donnerstagabend Zeit.

5 Wie lange sind die Schulferien dieses Jahr? – Sie gehen vom 28. Juli _____ 11. September.

6 Mein Sohn kommt morgen nicht in den Kindergarten, er hat von 9:30 _____ 10:30 Uhr einen Zahnarzttermin.

20 WANN UND WIE LANGE?

Führen Sie ein Interview mit Ihrem Partner. Stellen Sie Fragen und geben Sie Antworten. Ergänzen Sie zwei weitere Fragen.

Frage	Antwort
Wie spät ist es?	
Wann beginnt dein Deutschkurs?	
Wann stehst du auf?	
Wann isst du zu Abend?	
Wie lange dauert die Fahrt von deiner Wohnung bis zur Sprachschule?	
Wie lange dauert dein Deutschkurs?	
Wie lange bist du schon in Deutschland?	
Wie viele Stunden fliegst du in deine Heimat?	
Wie viel Uhr ist es gerade in deiner Heimat?	
Wann gehst du abends ins Bett?	

1 ARTIKEL UND PERSONALPRONOMEN

Setzen Sie in den Dialog zwischen einer Verkäuferin und einer Kundin die bestimmten bzw. unbestimmten Artikel oder die Personalpronomen ein. Manchmal steht kein Artikel. Dann bleibt die Lücke leer (/).

■ Bitte schön?

♦ _____ (1) Brot, bitte.

■ Was für _____ (2) Brot darf es sein?

♦ Tja also ... – _____ (3) Brot da oben. Was ist das?

■ _____ (4) Brot ist _____ (5) Weißbrot. _____ (6) ist ganz weich und sehr lecker.

♦ Ach, _____ (7) Weißbrot? Ich weiß nicht. Und was ist das?

■ Das hier ist _____ (8) Graubrot. Und das da ist _____ (9) Schwarzbrot. _____ (10) ist sehr

   gesund. _____ (11) Graubrot ist heute im Angebot. _____ (12) kostet nur zwei Euro.

♦ Mmh, _____ (13) Schwarzbrot, bitte.

■ Darf es sonst noch etwas sein?

♦ _____ (14) Brötchen, bitte.

■ Wie viele _____ (15) Brötchen?

♦ Vier Brötchen, bitte.

■ Nehmen Sie _____ (16) sechs Brötchen, dann ist _____ (17) Brötchen gratis.

♦ Ach? Gut, also _____ (18) sechs Brötchen, bitte, und ...

■ Und?

♦ _____ (19) Kuchen da sieht gut aus! Ist _____ (20) mit frischem Obst?

■ Das ist _____ (21) Pflaumenkuchen. _____ (22) Kuchen ist ganz frisch.

♦ Dann _____ (23) Stück Pflaumenkuchen, bitte. Mmh, _____ (24) riecht gut!

■ Darf es sonst noch etwas sein?

♦ Nein, das ist alles.

■ Also _____ (25) Schwarzbrot, _____ (26) sechs Brötchen und _____ (27) Kuchen. Das macht

   dann sieben Euro vierzig, bitte. _____ (28) Tüte vielleicht?

♦ Was kostet _____ (29) Tüte?

■ _____ (30) kostet 10 Cent.

♦ Ach ja, _____ (31) Tüte bitte auch.

■ Das sind dann zusammen sieben Euro fünfzig. Bitte sehr. Auf Wiedersehen.

♦ Wiedersehen.

1   EINE PATCHWORK-FAMILIE

Setzen Sie die fehlenden Wörter ein.

Cousinen Bruder Eltern Familie (2x) Familienhund geschieden Kinder Mama Mutter Oma Opa Schwester
Tante Vater (2x) verwandt

Ihr wollt etwas über meine ▒▒▒▒▒▒▒▒ (1) wissen? Sie ist bunt!

Wir sind nämlich eine richtige Patchwork-▒▒▒▒▒▒▒▒ (2).

Mein ▒▒▒▒▒▒▒▒ (3) heißt Jens; er ist 46 Jahre alt. Er und

meine ▒▒▒▒▒▒▒▒ (4) sind nicht mehr verheiratet; sie sind

▒▒▒▒▒▒▒▒ (5). Aber mein ▒▒▒▒▒▒▒▒ (6) hat jetzt

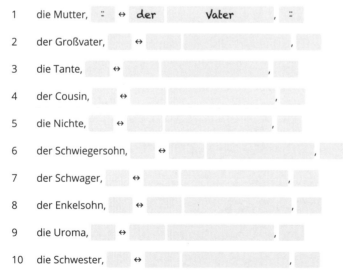

eine neue Frau. Sie heißt Jenny, ist 39 Jahre alt und hat zwei ▒▒▒▒▒▒▒▒ (7), Leon und Anna. Leon

ist wie ein richtiger ▒▒▒▒▒▒▒▒ (8) für mich und Anna ist wie eine ▒▒▒▒▒▒▒▒ (9). Dabei sind

wir gar nicht ▒▒▒▒▒▒▒▒ (10), aber wir verstehen uns super. Manchmal gibt es aber auch Streit. Wer

geht zum Beispiel mit Oskar, unserem ▒▒▒▒▒▒▒▒ (11), spazieren? Aber zum Glück sind da noch

▒▒▒▒▒▒▒▒ (12) und ▒▒▒▒▒▒▒▒ (13), die ▒▒▒▒▒▒▒▒ (14) von Papa. Sie sind zwar

schon Ende siebzig, aber sie drehen gerne mit Oskar eine Runde im Park. An Geburtstagen feiern wir dann

aber alle zusammen: Papa, ▒▒▒▒▒▒▒▒ (15), Jenny, ihr Ex-Mann und wir Kinder. Dann kommen auch

▒▒▒▒▒▒▒▒ (16) Lena, die Schwester von Papa, und meine ▒▒▒▒▒▒▒▒ (17) Elena und Sofia.

Zusammen feiern wir die besten Partys!

2   FAMILIENMITGLIEDER

a)   Gegensatzpaare: Ergänzen Sie den Plural und die Gegenteile mit Artikel und Plural.

1   die Mutter, ▒ ↔ **der   Vater**   , ▒

2   der Großvater, ▒▒▒ ↔ ▒▒▒▒▒▒▒▒   , ▒▒▒

3   die Tante, ▒▒▒ ↔ ▒▒▒▒▒▒▒▒   , ▒▒▒

4   der Cousin, ▒▒▒ ↔ ▒▒▒▒▒▒▒▒   , ▒▒▒

5   die Nichte, ▒▒▒ ↔ ▒▒▒▒▒▒▒▒   , ▒▒▒

6   der Schwiegersohn, ▒▒▒ ↔ ▒▒▒▒▒▒▒▒   , ▒▒▒

7   der Schwager, ▒▒▒ ↔ ▒▒▒▒▒▒▒▒   , ▒▒▒

8   der Enkelsohn, ▒▒▒ ↔ ▒▒▒▒▒▒▒▒   , ▒▒▒

9   die Uroma, ▒▒▒ ↔ ▒▒▒▒▒▒▒▒   , ▒▒▒

10   die Schwester, ▒▒▒ ↔ ▒▒▒▒▒▒▒▒   , ▒▒▒

b)   Ergänzen Sie die Lücken.

1   Meine Schwester Ulla ist die Tante von meinem ▒▒▒▒▒▒▒▒ (♂).

2   Die Mutter von meiner Mutter Lydia ist die ▒▒▒▒▒▒▒▒ (♀) von meinem Sohn.

3 Claudia, die Frau von meinem Bruder, ist meine _____ (♀).

4 Der Mann von meiner Schwägerin Claudia ist mein _____ (♂).

5 Die Tochter von meiner Schwester Ulla ist die _____ (♀) von meiner Tochter.

6 Der Vater von meinem Mann Oskar ist der _____ (♂) von unserem Sohn.

7 Mein Vater ist der _____ (♂) von Claudia, der Frau von meinem Bruder.

8 Meine _____ (♀) Eva ist die Oma von meinem Sohn und die Mutter von meinem

Ehemann.

9 Ella, die Tochter von meiner Schwester, ist meine _____ (♀).

10 Ellas Bruder ist mein _____ (♂).

c) Und Ihre Familie? Schreiben Sie 10 Sätze wie in b) über Ihre eigene Familie.

3 MEINE FAMILIE

Sie sind Christina Franke. Schreiben Sie einen Text über Ihre Familie.

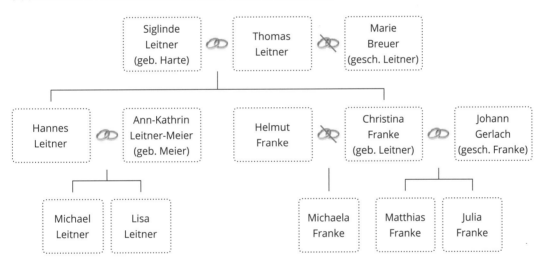

geb. = geboren (Name vor der Ehe)
gesch. = geschieden (Name vor der Scheidung)

4 POSSESSIVARTIKEL – FAMILIE

a) Ergänzen Sie die Possessivartikel.

1 Wie heißt deine Schwester? – **Meine** Schwester heißt Annabell.

2 Wo sind _____ Eltern? – Unsere Eltern sind bei den Nachbarn.

3 Ist das der Fußball von deinem Cousin? – Ja, das ist _____ Fußball.

4 Welchen Beruf hat die Mutter von Natalie? – _____ Mutter ist Ärztin.

5 Lars, ist das _____ Nachtisch? – Ja, du kannst gern mal probieren.

6 Irmgard, wer besucht euch denn morgen? – _____ Enkel kommen zu uns.

7 Herr Schneider, ist das _____ Regenschirm? – Ja, das ist meiner.

8 Jan, haben Oma Gerda und Opa Hannes _____ Tabletten schon genommen? – Ich glaube schon.

9 Wo ist eure Tochter? – _____ Tochter ist bei ihrem Freund.

10 Hast du Tante Imke gesehen? – Nein, aber _____ Auto steht vor der Tür.

b) Ergänzen Sie die Possessivartikel.

1 ▪ Frau Mertens, ist das   Buch?

   ◆ Nein, das ist nicht   Buch. Das ist das Buch von Herrn Gehlert.

   ▪ Ach, das ist   Buch.

2 ◆ Ich suche   Handy! Weißt du, wo es ist?

   ◆ Nein, ich weiß nicht, wo   Handy ist. Aber möchtest du so lange   Telefon

   benutzen?

3 ▪ Wir sehen   Freunde beim Fußballspiel!

   ● Wie schön! Und kommen nur   gemeinsamen Freunde aus Lübeck? Oder kommen auch

   Sarahs Freunde aus Berlin?

   ▪ Ja, natürlich,   Freunde aus Berlin sind auch da!

4 ● Stefan hat morgen Geburtstag.   Party ist sicher gut, kommst du mit?

   ◆ Nein, Sandra wird morgen dreißig.   Party ist auch morgen.

   ● Ach, morgen ist auch   Geburtstag? Dann kaufen wir doch zusammen

   Geschenke!

5 ▪   Großeltern kommen heute zu Besuch. Mein Bruder und ich freuen uns schon sehr.

   ●   Großeltern? Wohnen sie nicht in Norddeutschland?

   ▪ Ja, aber sie haben auch eine Wohnung in Karlsruhe.   Wohnung ist in der Nähe vom

   Schloss.

c) Bilden Sie Sätze. Konjugieren Sie die Verben und deklinieren Sie die Possessivartikel.

1 sie / lieben / ihr / sehr / Mann /.

2 er / mögen / nicht / sein / Cousin /.

3 unser / ausgehen / Eltern / heute Abend /.

4 Dennis, / Fußball / haben / dein / dabei / du / ?

5 Nudeln / Bruder / sein / nicht / essen / mein /.

5 POSSESSIVARTIKEL – *SEIN*- ODER *IHR*-?

Arbeiten Sie zu zweit. Fragen Sie Ihren Partner wie im Beispiel und antworten Sie.

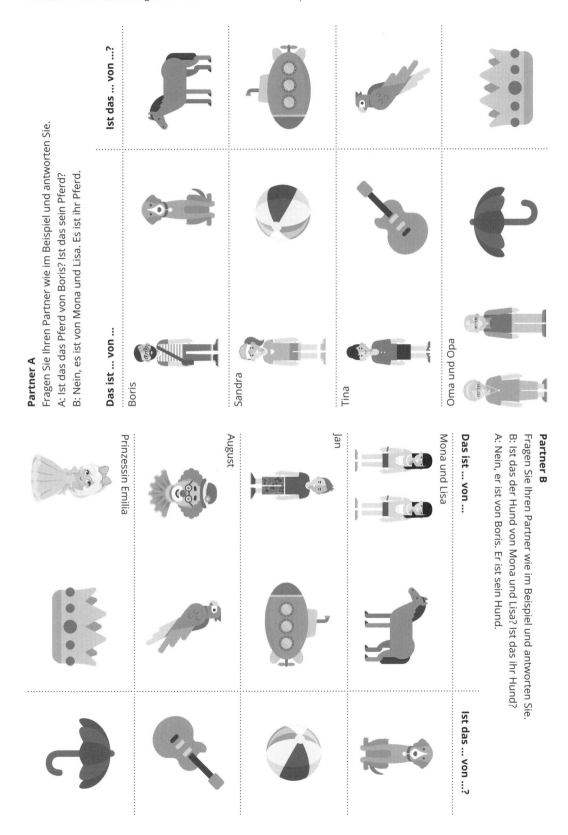

Partner A

Fragen Sie Ihren Partner wie im Beispiel und antworten Sie.

A: Ist das das Pferd von Boris? Ist das sein Pferd?

B: Nein, es ist von Mona und Lisa. Es ist ihr Pferd.

Das ist … von …

Boris

Sandra

Tina

Otto und Otto

Ist das … von …?

Partner B

Fragen Sie Ihren Partner wie im Beispiel und antworten Sie.

A: Ist das der Hund von Mona und Lisa? Ist das ihr Hund?

B: Nein, er ist von Boris. Er ist sein Hund.

Das ist … von …

Mona und Lisa

Jan

August

Prinzessin Emilia

Ist das … von …?

6 RÜDIGER HANDKES FAMILIE

Lesen Sie den Text und kreuzen Sie an. Richtig oder falsch?

Ich heiße Rüdiger Handke und ich bin 35 Jahre alt. Und das ist meine Familie. Mein Vater und meine Mutter sind meine Eltern. Ich bin ihr Sohn. Ich habe auch eine Schwester. Ihr Name ist Stefanie. Sonst habe ich keine Geschwister. Meine Schwester ist zwei Jahre älter als ich.

Ich bin verheiratet. Meine Frau kommt aus München. Ihr Name ist Paula. Meine Eltern sind ihre
5   Schwiegereltern und sie ist die Schwiegertochter von meinen Eltern. Meine Frau und ich haben zwei Töchter, Lisa und Heidi. Unsere Kinder sind noch klein, Lisa ist 3 und Heidi ist 5. Bald kommt Heidi in die Schule. Wir wohnen jetzt in Nordrhein- Westfalen, in Bonn.

Meine Eltern sind die Großeltern von Lisa und Heidi. Das heißt, sie sind ihre Enkelkinder. Meine Eltern leben in Berlin, sie sehen ihre Enkel leider nicht sehr oft. Aber zu Weihnachten besuchen wir meine
10   Eltern immer in Berlin.

Meine Frau hat noch einen Bruder, er ist mein Schwager. Und er ist der Onkel von Lisa und Heidi. Sie sind seine Nichten. Mein Schwager heißt Holger. Er und seine Familie leben in Stuttgart. Er hat drei Söhne, sie sind die Vettern oder auch die Cousins von meinen Kindern.

R	F	1	Rüdiger Handke hat zwei Geschwister.
R	F	2	Seine Schwester ist 37 Jahre alt.
R	F	3	Seine Frau kommt aus Süddeutschland.
R	F	4	Rüdiger und seine Frau haben zwei Kinder.
R	F	5	Lisa und Heidi gehen schon zur Schule.
R	F	6	Rüdiger lebt in Bonn.
R	F	7	Rüdigers Eltern leben in Berlin und sehen ihre Enkel nur selten.
R	F	8	Paulas Bruder hat drei Cousins.

7 DER ERSTE TAG IM ARCHITEKTURBÜRO

Setzen Sie die Wörter ein.

Architekt   Ausbildung   Aushilfe   Bauingenieurin   Chef   Informatiker   Praktikantin   Sekretärin   studiert   Team

Der Chef stellt der neuen Sekretärin, Frau Krause, ihre neuen Arbeitskollegen vor: „Frau Krause, das ist unser

_____ (1). Liebe Kollegen, das ist Frau Krause. Sie ist unsere neue _____ (2). Das

ist Herr Macke, er ist unser _____ (3). Er entwirft gerade die neuen Gebäude für die Universität.

Und das ist Frau Schmitz, unsere _____ (4) . Sie berechnet und konstruiert die Gebäude.

Und dort am Schreibtisch sitzt Herr Mattusch. Er ist der _____ (5). Haben Sie ein Computer-

problem? Einfach Herrn Mattusch fragen! Und hier kommt Janosch, er _____ (6) Umwelttechnik

und arbeitet als _____ (7). Für weitere Fragen ist Ella, unsere _____ (8), für Sie

da. Sie beginnt bald eine _____ (9) als Bauzeichnerin bei uns. Sie ist schon vier Wochen da und

kennt sich sehr gut aus. Aber ich helfe natürlich auch, ich bin ja Ihr _____ (10)."

8 MEIN TRAUMJOB

a) Was ist Ihnen wichtig bei einem Job? Lesen Sie die Aspekte (A-J) und ergänzen Sie zwei weitere Aspekte. Ordnen Sie dann die Aspekte von sehr wichtig bis nicht so wichtig.

sehr wichtig	1	2	3	4	5	6	7	8	9	10	11	12	nicht so wichtig

A   nette Kollegen

B   ein guter Lohn

C   ein sicherer Arbeitsplatz

D   viel Freizeit

E   Kreativität bei der Arbeit

F   Kontakt mit Menschen

G   gute Arbeitszeiten

H   schöner Arbeitsplatz

I   nah am Wohnort

J   interessante Aufgaben

K

L

b) Wie sieht Ihr Traumjob aus? Sprechen Sie mit Ihrem Partner wie im Beispiel.

- *Was ist für dich wichtig?*
- *Kontakt mit Menschen ist für mich sehr wichtig. Was ist für dich nicht so wichtig?*
- *Gute Arbeitszeiten sind für mich nicht so wichtig / gar nicht wichtig / unwichtig. Was ist dein Traumjob?*
- *Mein Traumjob ist Arzt in einem Krankenhaus.*
- *Warum?*
- *Ärzte verdienen viel Geld. Sie arbeiten mit ...*

9 PANTOMIME: BERUFERATEN

a) Welche Berufe zeigen die Bilder? Ergänzen Sie drei weitere Berufe (16-18).

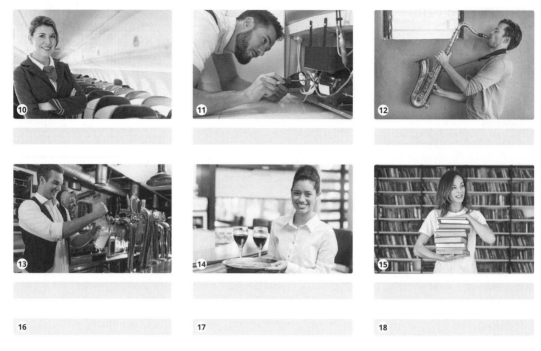

16	17	18

b) Arbeiten Sie in Gruppen. Wählen Sie einen Beruf und stellen Sie ihn pantomimisch dar. Die anderen Teilnehmer raten. Richtig geraten? Der Gewinner zeigt den nächsten Beruf.

10 JOBSUCHE

Lesen Sie die Aufgaben. Hören Sie dann das Gespräch und lösen Sie die Aufgaben.

1 Wo sind Lukas und Hanna?

A in der Bäckerei   **B** auf dem Arbeitsamt   **C** zu Hause

2 Was ist Lukas von Beruf?

3 Kreuzen Sie an. Richtig oder falsch?

R **F**   1   Lukas ist seit zwei Jahren arbeitslos.

R **F**   2   Er schickt jeden Tag Bewerbungen ab.

4 Was schlägt Hanna vor?

A   Lukas arbeitet erstmal gratis.

B   Lukas und sie ziehen um.

C   Er macht eine andere Ausbildung.

11 ARTIKEL UND VERBEN – EIN CHAT

Ergänzen Sie die Artikel und die Verben. Manche Lücken bleiben leer (/).

Chats Marco 11:56

Hey Anika! Ich bin's, Marco. Ich habe _____ Nummer von Robin. Ich hoffe, das ist okay!?

Hallo Marco, klar! Wie geht's dir? 😃

Gut, und selbst?

Mir auch. Was gibt's? Hast du _____ Problem?

Nein. Oder ja. Mein Problem ist: Ich bin zu Hause und es ist ziemlich langweilig. _____ du vielleicht heute Abend mit mir _____ (ausgehen)? Ich möchte _____ Film ansehen und danach _____ Sushi essen. 🍣

Klingt gut! 😃 _____ wir _____ Komödie _____ (anschauen)?

Gerne. Ich mag _____ Komödien sehr. Ich _____ dich um halb 8 _____ (abholen). Okay?

Halb 8 passt gut. Aber hast du _____ Auto? 🚗 Du bist doch erst _____ Woche in Deutschland?!

Mein Nachbar hat _____ Wagen, kein Problem. 😎

Super, dann sehen wir also _____ Film und essen dann. Und nach dem Essen machen wir _____ Spaziergang. Ich zeige dir _____ Stadt. 🏙️

Ich _____ dich übrigens _____ (einladen)! Heute ist nämlich _____ Geburtstag! 😃

Cool, alles Gute! Aber ich _____ natürlich selbst _____ (bezahlen). Hast du vielleicht _____ Wunsch? Ich brauche doch _____ Geschenk für dich! 🔨

Ich brauche nichts, du _____ (mitkommen), das reicht! Aber vielleicht _____ wir den Abend einfach _____ (wiederholen)?

Wenn es schön wird, warum nicht? 😃

12 GEFÜHLE

a) Ordnen Sie zu.

1 Ich hatte heute noch kein Frühstück und bin wahnsinnig ...	A durstig
2 Wir schreiben heute eine Prüfung, darum bin ich total ...	B müde
3 Der Film gestern Abend lief bis 2:00 Uhr nachts, darum bin ich jetzt ziemlich ...	C langweilig
4 Hast du etwas zu trinken für mich? Ich bin so ...	D sauer
5 Marie ist ...., aber ich will doch keinen Streit!	E nervös
6 Schon wieder eine Stunde nur Grammatik! Wie ... !	F hungrig

1	2	3	4	5	6

b) Wie fühlen Sie sich ...? Sammeln Sie Gefühle zu den Situationen. Schreiben Sie die Gefühle in Ihr Vokabelheft.

- am frühen Morgen
- im Deutschunterricht
- bei der Familie
- in einer Bar
- beim Mittagessen
- bei einer Prüfung
- nach einer Prüfung
- auf einem Familienfest
- im Flugzeug

13 POSSESSIVARTIKEL – GEFÜHLE

Ergänzen Sie die Possessivartikel.

*stehen auf + A =
verliebt sein in + A

1 Hey, ihr zwei, Kopf hoch! _____ Katze kommt bestimmt wieder zurück.

2 Herr Meier, vergessen Sie _____ Kollegin. Die steht total auf* _____ Chef!

3 Peters Wutausbrüche sind schrecklich. _____ Aggressivität macht mir Angst.

4 Kannst du _____ Angst vor Spinnen mal kurz vergessen und mir helfen?

5 Wir lachen viel. _____ Treffen machen immer großen Spaß.

6 Jana ist immer für mich da. _____ Freundschaft ist sehr wichtig für mich.

14 LIEBES TAGEBUCH

 Wie geht es Ihnen heute? Schreiben Sie einen Eintrag in Ihr Tagebuch.

15 MODALE PRÄPOSITIONEN

Setzen Sie die Präpositionen ein.

aus außer durch für gegen mit ohne

Ostern ist mein absolutes Lieblingsfest. Der Winter ist endlich vorbei, es gibt schon ein paar Blumen im

Garten und manchmal kann man auch schon _____ (1) Jacke spazieren gehen. Ich liebe Ostereier: bunte

Hühnereier, Eier _____ (2) Schokolade und Fruchtgummi-Eier. Mir schmecken alle Eier – _____ (3)

Marzipan-Eiern, die mag ich nicht! Darum isst sie immer mein kleiner Bruder Mats. Zusammen _____ (4)

Mats suche ich in unserem Garten die Eier. Das ist _____ (5) Mats nicht einfach, denn er ist erst fünf Jahre

alt. Wir bekommen an Ostern nur Süßigkeiten, keine Geschenke. Das finde ich gut, denn ich bin _____ (6)

große Geschenke an diesem Fest. Es gibt nur ein Problem: _____ (7) die vielen Süßigkeiten bekommen

wir immer Bauchschmerzen ...

1 MAN

Bilden Sie Sätze mit *man* wie im Beispiel.

1 im Sprachkurs: Im Sprachkurs lernt man Deutsch.

2 im Restaurant:

3 im Kino:

4 am Wochenende:

5 im Schwimmbad:

6 im Wald:

7 im Auto:

8 im Bett:

9 in der Cafeteria:

10 im Geschäft:

2 TIMO IST VERLIEBT

Ergänzen Sie die Verben. Eine Lücke bleibt leer (/).

(1) Timo   seinen Schlafanzug   und   das Licht   (anziehen, ausmachen). (2) Er   die Augen   , aber er   einfach nicht   (zumachen, einschlafen). (3) Timo   (nachdenken). (4) Er   das Licht wieder   und   sein Handy in die Hand (anmachen, nehmen). Keine Nachricht. (5) Er   die letzten Chat-Nachrichten   (durchlesen). (6) Was Claire wohl jetzt   (machen)? (7) Am nächsten Morgen   Timo ziemlich müde (sein). (8) Er   ,   seine Kleider   und   das Frühstück   (aufstehen, anziehen, vorbereiten). (9) Er   eine Tasse Kaffee   (einschütten). (10) Plötzlich   sein Handy: eine Nachricht von Claire (klingeln)! (11) Sie   ihn zu einem Eis   (einla-den). (12) Sein Herz   (klopfen). (13) Bis vier   noch eine Menge Zeit (sein). (14) Timo   ,   die Wohnung   und   den Müll   (einkaufen, aufräumen, runterbringen). (15) Um halb vier   er sein Lieblings-T-Shirt und   (anziehen, losgehen). (16) Claire   schon im Eiscafé (sitzen). (17) Timo   die Augen   und   tief   (zumachen, durch-atmen). (18) Dann   er sie mit einem Kuss   (begrüßen). (19) Sie   ihn   (anlächeln). (20) Aber dann   sie ein trauriges Gesicht (machen). (21) Dann   sie ihn wieder   (anlächeln). (22) Was   bloß los (sein)?

3   SATZBAU

 In den Sätzen fehlen die Verben (rechts) und die Punkte/Kommas. Korrigieren Sie die Sätze und schreiben Sie einen zusammenhängenden Text.

Herr und Frau Becker beide berufstätig Frau Becker in einer | sein, arbeiten

Bäckerei und Herr Becker Postbote ihre Arbeit um 7 Uhr | sein, beginnen

morgens darum beide sehr früh Frau Becker um 13 Uhr | aufstehen, haben

Schluss Herr Becker seine Arbeit um 15 Uhr gegen 16 Uhr | beenden, kochen

beide zusammen das Abendessen dann sie oder ein | lesen, machen

bisschen Hausarbeit am Abend sie manchmal ins Kino oder | gehen, besuchen

Freunde Herr Becker gern und Frau Becker gern Karten | fernsehen, spielen

am Wochenende sie manchmal und Sie? Sie auch | ausgehen, sein

berufstätig? Wie Sie Ihre Zeit? Sie auch manchmal aus? | verbringen, ausgehen

1 BESUCH VOM ENKEL

Opa Traven hat einen Enkel, Kevin. Er will seinen Opa besuchen. Schreiben Sie den Brief von Kevin an seinen Opa in ganzen Sätzen.

Lieber Opa,
ich / dich / am Wochenende / gerne / besuchen / möcht- / .

können / ich / kommen / von Freitag bis Sonntag / ?

wir / wollen / unternehmen / was / ?

können / zusammen / spielen / wir / ein Computerspiel / .

müssen / du / retten / die Welt / in dem Spiel / .

können / natürlich / auch / wir / in den Zoo / gehen / . // da / wollen / die Tiger / ich / sehen / .

ich / am Samstag / müssen / lernen / für die Englischarbeit / . // können / mir / du / helfen / ?

am Montag / müssen / die Arbeit / ich / schreiben / .

abends / mir / du / vorlesen / können / eine Geschichte / ?

dann / ich / sehr gut / einschlafen / können / . // was / essen / wollen / wir / ?

möcht- / gerne / Bratkartoffeln / essen / ich / .

Viele Grüße
Kevin

2 WAS KÖNNEN/MÖCHTEN/WOLLEN/MÜSSEN SIE MACHEN?

Sprechen Sie mit Ihrem Partner über die folgenden Punkte. Stellen Sie Fragen und geben Sie Antworten.

- Was kannst du gut? Was kannst du nicht gut?
- Was kann dein Bruder / deine Schwester / dein bester Freund gut / nicht gut?
- Was möchtest du jetzt tun?
- Du willst bald perfekt Deutsch sprechen. Was musst du tun?
- Was willst du am Wochenende machen?

3 SENIOREN UND DIGITALE MEDIEN

a)   Lesen Sie den Text.

ALTE MENSCHEN UND NEUE MEDIEN *von Rudolf Bürger*

Ein Vorurteil lautet: Alte Menschen können mit elektronischen
Medien nicht umgehen. Doch das stimmt nicht. Ich bin bei Klara
Schumann. Sie wird bald 80 Jahre alt. Ich möchte mit Frau Schu-
5   mann über Medien sprechen. Wir sitzen in der Küche. Die alte
Dame zeigt auf den Küchentisch. Dort liegen Bücher. Aber da liegen auch ein Tabletrechner und ein E-Book-Reader.
Frau Schumann reist viel mit der Bahn. „Morgen fahre ich nach
München. Ich will meinen Enkel besuchen. Da kann ich nicht fünf oder sechs dicke Bücher mitnehmen!
10   Das schaffe ich nicht", sagt sie. „Deshalb habe ich diese zwei Geräte. Ich kann so viel Literatur mitnehmen. Mit dem E-Book-Reader kann ich auch Bücher aus der Stadtbibliothek lesen." Tatsächlich kann
man auch E-Books ausleihen. Man muss aber einen gültigen Bibliotheksausweis haben.
Ich sehe auch Bücher in englischer Sprache auf dem Tisch. Frau Schumann muss lächeln: „Ja, junger
Mann! Ich kann sehr gut Englisch und Französisch sprechen. Und deshalb will ich die Bücher auch im
15   Original lesen. Man kann die Bücher auch in einer anderen Sprache ganz einfach downloaden." Mit
dem Tablet hört sie auch Musik, sagt sie. „Ich will so angenehm wie möglich reisen."
„Und Sie können die Geräte ohne Probleme bedienen?", frage ich dann. „Junger Mann! Ich bin zwar alt,
aber nicht dumm!" Das stimmt!

Welche elektronischen Medien benutzt Klara Schumann? Was macht sie mit diesen Medien?

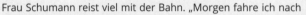

b)   Ergänzen Sie die Modalverben. Manchmal gibt es mehrere Lösungen.

1   Der Journalist R. Bürger _____ mit Frau Schumann über neue Medien sprechen.

2   In München _____ Frau Schumann ihren Enkel besuchen.

3   Sie _____ mit der Bahn fahren, denn sie hat kein Auto.

4   Sie ist fast 80 Jahre alt. Sie _____ keine schweren Bücher mitnehmen.

5   Frau Schumann liebt Bücher. Sie _____ immer lesen.

6   Die dicken Bücher _____ sie aber zu Hause lassen.

7   Aber sie _____ ihre Lieblingsliteratur auch auf dem E-Book-Reader lesen.

8   Mit dem Gerät _____ sie auch E-Books aus der Bibliothek ausleihen.

9   Sie _____ aber einen gültigen Bibliotheksausweis haben, dann _____ sie die Online-

     Bücher downloaden.

10   Wenn Frau Schumann Musik hören _____, benutzt sie den Tablet-Rechner.

11   Sie _____ sehr gut mit elektronischen Medien umgehen.

12   Leider _____ man in vielen Zügen in Deutschland das Internet nicht nutzen. Man _____

     Bücher und Musik vor der Zugfahrt herunterladen, dann _____ man sie auch ohne Internet

     lesen oder hören.

4   KÖRPERTEILE

Arbeiten Sie zu zweit. Geben Sie abwechselnd Anweisungen und malen Sie in der passenden Farbe aus.
Vergleichen Sie am Ende Ihre Bilder. Sehen sie gleich aus?

Der Mund von dem Mann ist grün.   *Die Haare von der Frau sind rot.*

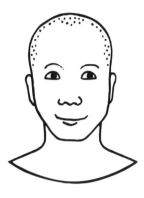   

5   POSTKARTE AUS DER FERNE

Sie sind im Ausland und vermissen Ihren Freund/Ihre Freundin. Ergänzen Sie den Text.

Lieber Schatz,

wie _____ ? Das ist eine
Gute-Besserung-Karte gegen die Sehnsucht und
ich hoffe, sie macht dich wieder _____ .
 Ich denke jeden Tag an dich und ich hoffe,
_____
_____
_____

Ich weiß, du vermisst mich und bist _____ .
Ich auch ...! Aber ich habe ein Rezept:
     - täglich zur Uni gehen
     - jeden Tag _____
     - _____
     - _____

Dann vergeht die Zeit ganz schnell!
Kuss, dein/e _____

6 KRANKER ZWERG

a) Schreiben Sie die Wörter zu den Körperteilen in das Bild.

der Arm, -e   der Bauch, ⸚e   das Bein, -e   der Fuß, ⸚e   die Hand, ⸚e   der Kopf, ⸚e   die Schulter, -n

b) Lesen Sie den Text und beantworten Sie die Fragen.

Das ist die Geschichte von Zwerg 4. Zwerg 4 wohnt im Wald. Er hat sechs Freunde und eine Freundin. Die Freundin heißt Schneewittchen. Sie wohnen alle zusammen in einem kleinen Haus.

5 Zwerg 4 muss jeden Tag sehr früh aufstehen und im Wald arbeiten. Die Arbeit ist hart. Er muss Holz holen und Pilze sammeln.

Es ist Abend. Auch heute war Zwerg 4 mit den anderen Zwergen im Wald. Die Zwerge kommen nach

10 Hause. Sie sind hungrig und durstig. Schneewittchen wartet schon. Es gibt Klöße und Bier. Lecker!

Aber Zwerg 4 hat keinen Hunger. Er will nicht essen. Er hat auch keinen Durst, er will kein Bier. Es geht ihm schlecht. Er muss immer 5 Kilometer laufen. Seine Beine tun weh. Das Holz ist so schwer, seine Arme tun weh. Seine Schu-

15 he sind alt und kaputt. Jetzt tun seine Füße weh. Im Wald isst Zwerg 4 immer viele Beeren. Jetzt hat er Bauchschmerzen. Sein Kopf ist ganz heiß. Er hat Fieber. Zwerg 4 ist müde, er will nur schlafen. Morgen kann er nicht arbeiten. Nachts hören ihn die anderen Zwerge jammern: „Auweh, auweh, mein Kopf tut weh! Auweh, auweh, alles tut weh!"

Am nächsten Morgen bleibt Zwerg 4 liegen. Er geht nicht arbeiten, er ist krank. Die anderen Zwerge

20 müssen arbeiten.

1   Was macht Zwerg 4 im Wald?

2   Was isst Zwerg 4 heute Abend?

3   Was trinkt Zwerg 4 heute Abend?

4   Warum tun die Beine von Zwerg 4 weh?

Grund:

5   Warum tun die Arme von Zwerg 4 weh?

Grund:

6   Warum tun die Füße von Zwerg 4 weh?

Grund:

7   Warum tut der Bauch von Zwerg 4 weh?

Grund:

7 KRANKHEITEN

Bilden Sie Wörter aus den vorgegebenen Wortteilen. Ergänzen Sie die Artikel.

-ber -der- -Darm- -Durch- Er- -fall -fen ~~Fie-~~ Glie- Grip- Hals- Hus- -käl- Kopf- Magen- -pe Schnup-
-schmerzen (4x) -ten -tung -Virus Zahn-

das Fieber

8 SCHILDER

Auf der Straße muss man viele Schilder beachten. Schreiben Sie Sätze mit Modalverben wie im Beispiel.

1 geradeaus fahren

Hier muss man geradeaus fahren.

2 rechts abbiegen

3 Fußgänger diesen Weg benutzen

4 Rad fahren

5 parken

6 hineinfahren

7 einen Parkschein lösen

8 30 fahren

9 MODALVERBEN – PRAXISJAHR IN NEUSEELAND

a) Hanna geht nach Neuseeland. Markieren Sie das passende Verb *müssen* oder *sollen*.

1 Hanna fliegt nach Neuseeland. Sie muss / soll noch ihren Koffer packen.
2 Max sagt, Hanna muss / soll ihren Ausweis nicht vergessen.
3 Ihre Eltern müssen / sollen sich jetzt von Hanna verabschieden.
4 Sie sagen, ihre Tochter muss / soll vorsichtig sein.

b) Markieren Sie das passende Verb *können* oder *dürfen*.

1 Im Flugzeug kann / darf Hanna endlich entspannen. Jetzt geht das Abenteuer los!

2 Auf dem Flug kann / darf man nicht rauchen.

3 Sie kann / darf noch ein bisschen schlafen; es ist ja noch früh.

4 Die Kinder hinter ihr wollen ins Cockpit, aber das können / dürfen sie nicht.

c) Schreiben Sie die Sätze mit *müssen* + *nicht / kein / nichts*.

1 Nach der Landung braucht Hanna nichts zu essen. Sie hat keinen Hunger.

Nach der Landung _____ Hanna _____ essen. Sie hat keinen Hunger.

2 Hanna braucht auch kein Geld zu wechseln. Sie hat schon genug Dollar.

Hanna _____ auch _____ Geld wechseln. Sie hat schon genug Dollar.

3 Sie braucht auch kein Taxi zu nehmen. Sie fährt mit dem Bus.

Sie _____ auch _____ Taxi nehmen. Sie fährt mit dem Bus.

4 Sie braucht auch nicht nach dem Weg zu fragen. Sie hat GPS auf dem Handy.

Sie _____ auch _____ nach dem Weg fragen. Sie hat GPS auf dem Handy.

10 MODALVERBEN – AUF DER ARBEIT

a) Hanna macht ein Praxisjahr in einem Krankenhaus in Neuseeland. Was darf Hanna machen, was muss sie machen, was nicht? Ergänzen Sie Modalverben *dürfen* oder *müssen*.

1 Hanna _____ Blut abnehmen. Der Arzt hat es erlaubt.

2 Heute _____ Hanna bei Frau Wilson Blut abnehmen. Das ist Teil ihrer Arbeit.

3 Hanna _____ nicht operieren. Sie ist ja noch Studentin.

4 Sie _____ nicht aufräumen. Das macht die Krankenschwester.

5 Sie _____ den Patienten keine Fragen stellen, nur, wenn sie möchte.

6 Hanna _____ keine Rezepte für Medikamente schreiben. Das macht der Arzt.

7 Hanna _____ eine Stunde Pause machen und zu Mittag essen.

8 Sie _____ jeden Tag acht Stunden arbeiten.

b) Auch in anderen Berufen kann oder muss man viele Dinge tun. Ergänzen Sie die Modalverben *können* oder *müssen* je einmal pro Beruf.

1 Bäcker: Man **muss** früh aufstehen. Man **kann** leckeres Brot backen.

2 Kellner: Man _____ Trinkgeld bekommen. Man _____ immer freundlich lächeln.

3 Pilot: Man _____ sehr konzentriert sein. Man _____ viele Länder sehen.

4 Frisör: Man _____ viele Leute kennenlernen. Aber man _____ auch mit Farben und Chemikalien arbeiten.

5 Model: Man _____ viel Geld verdienen. Man _____ aber immer Diät machen.

6 Arzt: Man _____ oft am Wochenende arbeiten. Man _____ Leuten helfen.

7 Millionär: Man _____ alles kaufen. Man _____ nicht arbeiten.

8 Sänger: Man   reich werden. Man   eine gute Stimme haben.

9 Koch: Man   von mittags bis spät abends arbeiten. Man   lange schlafen.

10 Gärtner: Man   auch bei Regen arbeiten. Man   viel draußen arbeiten.

11 Lehrer: Man   Kindern etwas beibringen. Man   Geduld haben.

12 Ingenieur: Man   gut rechnen können. Man   im Büro arbeiten.

13 Sportler: Man   tolle Preise gewinnen. Man   hart trainieren.

14 Postbote: Man   viel an der frischen Luft arbeiten. Man   Hunde mögen.

11 WAS MACHEN SIE IN DIESER SITUATION?

Wählen Sie eine Situation und schreiben Sie einen Text. Nutzen Sie Modalverben.

- Was können Sie in dieser Situation (nicht) tun?
- Was wollen Sie (nicht) tun?
- Was müssen Sie (nicht) tun?
- Was dürfen Sie (nicht) tun?

Situation 1:

Sie schreiben morgen eine wichtige Prüfung an der Uni. Ihre Freunde gehen ins Freibad.

Situation 2:

Sie stehen in Rom am Flughafen und wollen nach Hause fliegen, doch Sie merken: Sie haben Ihr Portemonnaie verloren.

Situation 3:

Ihre beste Freundin aus der Heimat feiert ihren Geburtstag. Sie sind in Deutschland.

Situation 4:

Sie sitzen in der Bibliothek. Sie treffen einen sehr guten Freund. Sie haben ihn/sie lange nicht gesehen und wollen viel erzählen.

12 ZWERG 4 BEI DER ÄRZTIN

a) Markieren Sie rot: Wo tut es sehr weh? Markieren Sie gelb: Wo tut es ein bisschen weh?

Zwerg 4 jammert:

„Oh, ich habe höllische Kopfschmerzen. Und ich habe leichte Ohrenschmerzen. Meine Nase läuft manchmal. Meine

5 Beine tun etwas weh. Meine Arme auch ein bisschen. Und die Füße, ganz schlimm! Ich habe starke Schmerzen in der Schulter. Mein Rücken tut etwas weh. Ich habe schrecklich Bauchweh.

10 Oje, mir geht es schlecht!"

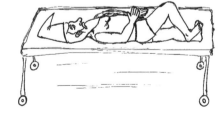

b) Zwerg 4 ist bei der Ärztin. Lesen Sie die Fragen. Hören Sie dann den Dialog und kreuzen Sie an.

1 Welche Temperatur hat Zwerg 4?

A 37 Grad   **B** 38 Grad   **C** 39 Grad

2 Was untersucht die Ärztin?

   A die Arme   **B** den Kopf   **C** den Bauch

3 Was muss Zwerg 4 gegen die Magenschmerzen nehmen?

   A Tabletten   **B** Tropfen   **C** Salbe

4 Wie oft muss Zwerg 4 das Medikament nehmen?

   A einmal am Tag   **B** zweimal am Tag   **C** dreimal am Tag

5 Wann muss Zwerg 4 das Medikament nehmen?

   A vor dem Essen   **B** beim Essen   **C** nach dem Essen

6 Was schreibt die Ärztin <u>nicht</u>?

   A ein Rezept   **B** eine Krankmeldung **C** eine Überweisung

13 BEIPACKZETTEL

Lesen Sie den Text und beantworten Sie die Fragen.

Max ist traurig. Seine Freundin Hanna ist in Neuseeland. Er trifft seinen Freund Frido. Frido hat etwas für Max dabei. Es ist eine große weiße Schachtel mit schwarzer Aufschrift.

„Was ist da drin? Eine riesige Flasche Hustensaft?", lacht Max. „So ähnlich", grinst Frido. Max zieht sein Lieblingsgetränk aus der Schachtel – ein Radler! Das ist Bier mit Zitronenlimonade. „Guck mal, da ist

5 auch ein Beipackzettel", erklärt Frido. „Ein Beipackzettel? Wie bei richtiger Medizin?", lacht Max und liest.

Radler 500 ml

Lesen Sie die gesamte Packungsbeilage sorgfältig durch, denn sie enthält wichtige Informationen für Sie. Heben Sie die Packungsbeilage auf. Vielleicht möchten Sie sie später noch einmal lesen.

10 Dieses Arzneimittel ist ohne Rezept erhältlich. Fragen Sie Frido oder Ihren Apotheker nach weiteren Informationen oder Ratschlägen.

Ihre Beschwerden werden schlimmer? Bei Nebenwirkungen müssen Sie auf jeden Fall Frido oder einen Arzt informieren.

Was ist Radler und wofür wendet man es an?

15 Radler ist ein leckeres Medikament und gleichzeitig macht es gute Laune. Radler hilft gegen Liebeskummer und Traurigkeit.

Vorsicht: Radler enthält Alkohol. Kinder und Jugendliche unter 16 Jahren dürfen Radler überhaupt nicht einnehmen. Sie müssen das Ersatzprodukt Malzbier nehmen.

Was müssen Sie vor der Einnahme von Radler 500 ml beachten?

20 Radler darf nicht eingenommen werden bei

• Allergie gegen Hopfen, Gerste oder Zitronenlimonade
• chronischen Magenbeschwerden
• Schwangerschaft

Wie muss man Radler einnehmen?

25 Nehmen Sie Radler abends nach dem Essen ein.

Die Wirkung ist zu stark oder zu schwach? Bitte sprechen Sie mit Ihrem Arzt, Apotheker oder mit Frido.

Welche Nebenwirkungen sind möglich?

Wie alle Arzneimittel kann Radler Nebenwirkungen haben. Aber nicht alle Patienten haben diese Nebenwirkungen. Häufig: Zu viel Radler kann zu Übelkeit, Durchfall und/oder Erbrechen führen.

1   Kreuzen Sie an. Richtig oder falsch?

R	F	1	Man braucht für Radler ein Rezept vom Arzt.
R	F	2	Radler macht gute Laune.
R	F	3	Kinder und Jugendliche dürfen Radler einnehmen.

2   Gegen was soll Radler helfen?

3   Welche Nebenwirkungen können auftreten?

A   Allergie   **B**   Schwangerschaft   **C**   Übelkeit

14   HERR TRAVEN BEI DER ÄRZTIN

Lesen Sie die Fragen. Hören Sie dann das Gespräch. Welche Aussage stimmt mit dem Text überein? Kreuzen Sie an.

1   Herr Traven geht zur Ärztin, …

A   und er muss heute lange warten.

B   und er kommt sofort dran.

C   denn er ist ein Notfall.

2   Die Arzthelferin bringt Herrn Traven in Behandlungszimmer 2 (,)…

A   dort wartet die Ärztin schon.

B   und holt noch einen Stuhl.

C   die Ärztin ist aber noch nicht da.

3   Herr Traven geht jedes Jahr zur Ärztin, …

A   heute ist deshalb die Vorsorgeuntersuchung.

B   heute ist der rechte Fuß das Problem.

C   er muss den Termin aber wegen Schmerzen absagen.

4   Herr Traven zieht Schuh und Socke aus, …

A   und die Ärztin untersucht den Fuß.

B   aber das tut ihm weh.

C   und die Ärztin muss ihm dabei helfen.

5   Die Ärztin stellt bei Herrn Traven eine Arthritis fest, ...

A	denn der große Zeh ist rot, dick und etwas warm.
B	der ganze Fuß ist rot und geschwollen.
C	außerdem Fieber und Kopfschmerzen.

6   Richtig oder falsch? Kreuzen Sie an.

R	F	1	Herr Traven hat nicht zum ersten Mal diese Schmerzen im Fuß.
R	F	2	Möglicherweise muss Dr. Schneider den Fuß operieren.
R	F	3	Das Medikament gegen Arthritis gibt es als Spritze oder als Tabletten.
R	F	4	Herr Traven will keine Spritze bekommen.
R	F	5	Die Tabletten muss Herr Traven nur einen Tag lang nehmen.
R	F	6	Herr Traven soll nicht viel laufen.
R	F	7	Mit einem nassen Handtuch kann er die Temperatur im Fuß senken.
R	F	8	Die Arthritis dauert lange.
R	F	9	Dr. Schneider schreibt eine Krankmeldung für Herrn Traven.

15   IMPERATIV – VOR DEM ABFLUG NACH NEUSEELAND

Morgen fliegt Max zu seiner Freundin Hanna nach Neuseeland. Hanna gibt ihm Tipps. Setzen Sie die passenden Verben im Imperativ ein.

anrufen   aufstehen   geben   kommen   machen   packen   sein   stellen

Hanna: (1) Max, _____ den Wecker auf sechs Uhr und _____ rechtzeitig _____ !

Max: Ja, Hanna, das mache ich, keine Angst.

Hanna: (2) Und _____ mich nach der Landung sofort _____ , okay?

Max: Klar, ich sage dir Bescheid. (3) Und _____ dir nicht so viele Sorgen! Es geht bestimmt alles

gut.

Hanna: Wo ist dein Reisepass? (4) _____ deinen Pass am besten jetzt in deine Tasche.

Max: Ich habe keine Tasche. Aber er ist schon im Rucksack.

Hanna: Gut. (5) Dann _____ mir noch einmal die Ankunftszeit und dann sehen wir uns am

Flughafen. Ich hole dich ab.

Max: Ich lande um 16:45 Uhr. Super, du holst mich ab. (6) Aber _____ nicht zu spät.

(7) _____ bitte pünktlich, ich bin bestimmt müde nach dem langen Flug.

Hanna: Klar bin ich pünktlich. Dann bis dann!

Max: Tschüs!

16 FREUNDLICHER IMPERATIV

Schreiben Sie im Imperativ. Nutzen Sie auch die Wörter *doch*, *mal* und *bitte*.

1 trinken / ein Glas Wasser / doch (*Sie*-Form) Trinken Sie doch ein Glas Wasser.

2 haben / keine Angst (*ihr*-Form)

3 anrufen / sie / doch mal (*du*-Form)

4 Platz nehmen / bitte (*Sie*-Form)

5 organisieren / eine Party / doch (*du*-Form)

6 holen / die Geschenke / doch mal bitte (*ihr*-Form)

7 abholen / Ihre Tochter / bitte (*Sie*-Form)

8 sein / still / doch mal (*du*-Form)

9 einkaufen / später / doch (*ihr*-Form)

10 unterschreiben / hier / bitte (*Sie*-Form)

17 FORUMSEINTRAG

Wählen Sie Forumseintrag A oder B und schreiben Sie eine Antwort. Geben Sie darin Tipps im Imperativ.

A   Hilfe, ich muss schnell jünger aussehen!

Hallo ihr Lieben! Am Wochenende habe ich ein Date, juhu! Aber der Mann ist 5 Jahre jünger als ich. Ich möchte neben ihm nicht alt aussehen! Bis zum Wochenende muss ich also unbedingt 5 Jahre jünger aussehen😃. Was kann ich tun?

B   Wie werde ich ganz schnell berühmt?

Hallo Leute! Ich habe einfach keine Lust mehr! Mein Job ist zu anstrengend, der Lohn nicht gut und meine Wohnung viel zu klein. Und überhaupt ist mein Leben irgendwie langweilig! Jetzt reicht's! Ich möchte endlich reich und berühmt werden😎! Aber wie? Habt ihr Tipps für mich😃?

18 PRÄPOSITIONEN

a) Was passt <u>nicht</u>? Streichen Sie durch. Manchmal sind mehrere Präpositionen richtig.

1 Bis / Ab wann musst du die Tabletten noch nehmen? – Bis / Ab nächsten Montag.
2 Wann hätten Sie Zeit? – Ich könnte um / gegen / am / ab 8 Uhr kommen.
3 Vor / Nach / Um wie viel Uhr hast du deine Untersuchung? – Der Termin ist vor / nach / um 16 Uhr.
4 Ab / Seit / Bis wann haben Sie die Schmerzen? Ab / Seit / Bis einer Woche.
5 Um / Von / Zwischen wann bis / nach / zu wann ist die Praxis geschlossen? – Die Praxis schließt zwischen / von dem 8. und 15. April.
6 Wie lange sind Sie im Urlaub? – Ich fahre bis / vor / - / in 3 Wochen in Urlaub.

b) Ergänzen Sie die passenden Präpositionen. Eine Lücke bleibt leer (/).

ab (4x)   am (2x)   bei   bis (2x)   im (2x)   in   nach   seit   um   von   vor   zwischen

1   Der Monat September liegt _____ August und Oktober.

2   _____ Juli ist unsere Praxis wegen Urlaub geschlossen. Wir öffnen erst wieder _____ 1. August.

3   Können Sie _____ 9. Mai direkt morgens _____ 8 Uhr in die Praxis kommen?

4   Wir gehen schon _____ 3 Jahren zu Dr. Rüssel und sind sehr zufrieden.

5   _____ der Untersuchung nimmt die Ärztin Blut ab. Deshalb bin ich _____ der Untersuchung

    immer sehr aufgeregt und habe etwas Angst. _____ der Untersuchung geht es mir dann immer

    direkt besser!

6   Liebe Patienten und Patientinnen! Unsere Praxis bleibt _____ dem 19. August _____ 2 Wochen

    lang geschlossen. In dringenden Fällen rufen Sie bitte Dr. Schubert an!

7   _____ Montag habe ich eine ganze Woche Zeit für dich.

8   _____ Ende des Monats sind wir leider komplett ausgebucht. Danach aber gern!

9   _____ einem Monat schließe ich mein Studium ab.

10   _____ März renovieren wir.

11   Unsere Öffnungszeiten: _____ Montag _____ Freitag, 8:30 bis 12:00 Uhr.

12   _____ dem 30.9. ist unsere Praxis wegen Renovierung für 2 Wochen geschlossen.

13   _____ heute fasse ich nie wieder auch nur eine Zigarette an!

1 HABEN ODER SEIN?

Ergänzen Sie *haben* oder *sein* im Präsens.

1   Hanna _____ aufgeregt.

2   _____ du deinen Ausweis?

3   Hannas Eltern _____ Tränen in den Augen.

4   Ich _____ auf dem Weg nach Neuseeland!

5   Hanna, Max, _____ ihr traurig?

6   Ich _____ keine Angst!

7   Max _____ ein Geschenk für Hanna.

8   _____ du allein mit den Patienten?

9   Wir _____ im Stress.

10 _____ ihr Hannas Koffer?

11 Sie _____ verliebt.

12 _____ wir alles?

2 (UN)TRENNBARE VERBEN

Setzen Sie die Verben ein. Manche Lücken bleiben leer (/).

1   Hanna _____ aufgeregt (sein).

2   Otto Salz _____ ein Formular _____ (ausfüllen).

3   Frau Jansen _____ ihren Kindern eine Geschichte _____ (vorlesen).

4   Wo _____ ihr Mann so spät _____ (herkommen)?

5   Otto Salz _____ die alte Zeitung _____ (wegwerfen).

6   Otto Salz _____ seinen Computer _____ (einschalten).

7   Er _____ das Fenster _____ (zumachen).

8   Die Ärztin _____ Derya _____ (untersuchen).

9   Otto _____ seine Nachbarin mit einem Geschenk _____ (überraschen).

10 Er _____ die Zeitung _____ (durchlesen).

11 Immer _____ die Kinder ihren Eltern _____ (widersprechen).

12 Derya _____ die Anmeldung _____ (unterschreiben).

1 WANDERN

Can möchte mit einer Freundin, Tabea, wandern. Ordnen Sie den Dialog.

das
Hohe Venn

Can:

A   Auch gut. Sag mal, hast du am Wochenende schon was vor?

B   Ich hole dich um 8:45 Uhr ab, okay?

C   Also, ich kenne das Buch. Das finde ich ganz spannend. Und was machst du am Sonntag?

D   Hallo Tabea, wie geht's?

E   Ja, ich will wandern. Das Wetter wird am Wochenende gut, da möchte ich gern raus in die Natur.

F   Tschüs, bis dann!

G   Im Hohen Venn. Ich habe einen Wanderführer, da gibt es tolle Touren, und die Natur dort ist wirklich wunderschön. Hast du auch Lust?

H   Ins Theater, cool! Welches Stück seht ihr denn?

Tabea:

I   Das Hohe Venn kenne ich noch nicht. Das macht bestimmt Spaß. Ich bin dabei! Wann geht's los?

J   Ja. Am Samstag gehen meine Mutter und ich ins Theater.

K   Super, ich freue mich. Bis dann!

L   Am Sonntag habe ich noch nichts vor. Hast du eine Idee?

M   Wir sehen Goethes *Faust* im Stadttheater. Kennst du das?

N   Natur klingt gut. Wo willst du denn wandern?

O   Hallo Can, gut, und dir?

1	2	3	4	5	6	7	8	9	10	11	12	13	14	15

2 WOCHENENDPLÄNE

a)   Lesen Sie den Chat von Sharif (Spitzname: Sheriff) und füllen Sie das Online-Formular für ihn aus. Ergänzen Sie die fehlenden Informationen mit Ihren persönlichen Informationen.

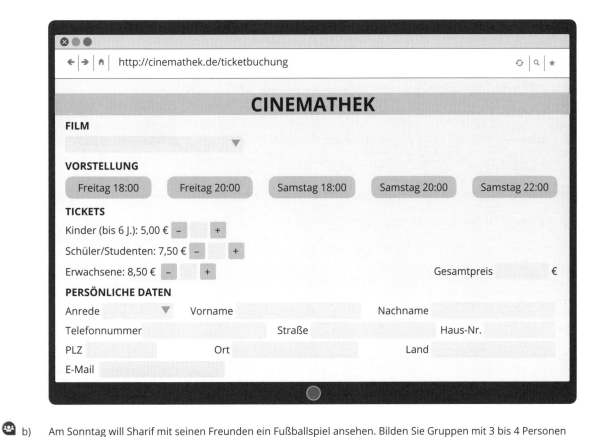

b) Am Sonntag will Sharif mit seinen Freunden ein Fußballspiel ansehen. Bilden Sie Gruppen mit 3 bis 4 Personen und schreiben Sie einen Chat wie in a).

3 PRÄTERITUM VON *HABEN* UND *SEIN* – PIERRE UND CORALIE

Pierre telefoniert mit seiner Schwester. Ergänzen Sie *haben* oder *sein* im Präteritum.

Coralie: Was ist los, Brüderchen? Du rufst mich nie an. Wie geht es dir in Hamburg?

Pierre: Ach, Rosalie und ich sind nicht mehr zusammen.

Coralie: Du _____ (1) eine Freundin?

Pierre: Ja, wir _____ (2) fast vier Monate lang ein Paar. Rosalie _____ (3) eine kleine

Wohnung im Zentrum. Die _____ (4) groß genug für uns beide.

Coralie: _____ (5) du dort auch Platz für deine CD-Sammlung?

Pierre: Nein, aber Musik _____ (6) in letzter Zeit auch nicht so wichtig für mich. Samstags

_____ (7) wir oft im Fußballstadion. Rosalie _____ (8) – und ist immer noch – ein

großer Fan vom FC St. Pauli.

Coralie: Ihr _____ (9) im Fußballstadion?

Pierre: Ja. Für mich _____ (10) das alles nicht so interessant und ich _____ (11) eigentlich

oft keine Lust. Aber meine Hobbys _____ (12) in letzter Zeit irgendwie egal.

Coralie: Dann _____ (13) ihr keine gute Beziehung! Pierre, ich glaube, du _____ (14) nicht

wirklich glücklich. Nächste Woche komme ich dich mit einem Fernbus besuchen und dann machen

wir etwas Schönes zusammen.

4 WICHTIGE VERBEN IM PERFEKT

Ergänzen Sie die Sätze im Perfekt.

1 antworten   Ich   **habe**   auf die Frage _____ .

2 arbeiten   Wo _____ du _____ ?

3 spielen   Er _____ mit dem Kind _____ .

4 fragen   Was _____ du mich _____ ?

5 kosten   Wie viel _____ das Buch _____ ?

6 zeigen   Meine Freundin _____ mir Bonn _____ .

7 warten   Er _____ den ganzen Tag am Bahnhof _____ .

8 sagen   Sie _____ schon alles _____ . Sie ist fertig.

9 öffnen   Mein Mann _____ die Tür _____ .

10 kochen   Was _____ ihr gestern _____ ?

11 lernen   Wie lange _____ Sie Deutsch _____ ?

12 schmecken   _____ dir mein Kuchen _____ ?

13 stehlen   Was _____ der Dieb _____ ?

14 packen   Er _____ seinen Koffer _____ .

15 wohnen   Ich _____ vier Jahre in Berlin _____ .

16 machen   _____ du deine Hausaufgaben _____ ?

17 hören   Als Kind _____ ich gern Kinderlieder _____ .

18 buchen   Wo _____ ihr euren Urlaub _____ ?

19 brauchen   Er _____ gestern mein Auto _____ .

20 lachen   Warum _____ du so laut _____ ?

21 holen   Der Schüler _____ sein Handy _____ .

22 trinken   Auf der Party _____ ich drei Cocktails _____ .

23 sprechen   _____ du heute schon mit deiner Mutter _____ ?

24 nehmen   In der Pizzeria _____ ich nur einen Salat _____ .

25 finden   Ich _____ meine Schlüssel nicht _____ .

26 übernachtet   Unser Enkel _____ gestern bei uns _____ .

27 atmen   Nach dem Sport _____ ich total schnell _____ .

28 frühstücken   Im Urlaub _____ er jeden Tag eine Stunde _____ .

29 singen   Als Kind _____ wir jedes Weihnachten _____ .

30 nennen   Meine Eltern _____ mich immer Mausi _____ .

5 PERFEKT-BINGO

Wer hat das gemacht? Gehen Sie durch den Kursraum und fragen Sie die anderen Kursteilnehmer. Schreiben Sie die Namen auf.

hat gestern gearbeitet.	hat gestern E-Mails geschrieben.	hat gestern Radio gehört.
hat gestern ein Buch gelesen.	hat gestern Sport gemacht.	hat gestern einen Film gesehen.
hat gestern gekocht.	hat gestern Freunde besucht.	hat gestern lange telefoniert.

Hast du gestern gearbeitet? Hast du gestern …?

6 ANSAGEN AUF DER KIRMES

Lesen Sie die Sätze. Hören Sie dann die Ansagen von den verschiedenen Attraktionen auf der Kirmes* Rheinwiesen in Düsseldorf und kreuzen Sie an: richtig oder falsch?

R	F	1	Nur heute kosten 4 Lose 5 Euro.
R	F	2	Die Raupenbahn fährt vorwärts.
R	F	3	Für den Hauptpreis muss man 500 Punkte erreichen.
R	F	4	Die Achterbahn *Teufelsritt* kommt jedes Jahr nach Düsseldorf.
R	F	5	Man kann zwei Runden für den Preis von einer mitfliegen.

*Kirmes = ein Volksfest mit verschiedenen Attraktionen, zum Beispiel Achterbahn, Geisterbahn, Autoscooter, Karussell, Losbude und Essständen.

7 STADTBESICHTIGUNG

Lesen Sie den Flyer zu den Stadtbesichtigungen und beantworten Sie die Fragen.

Die Altstadt zu Fuß

Täglich um 10:00 Uhr erwartet Sie eine Führung durch das historische Zentrum. Treffpunkt ist am Marktplatz vor der Touristeninformation. Die Besichtigung dauert etwa 1,5 Stunden.
5 Tickets kosten 8 Euro pro Person, Kinder (bis 14 J.) bezahlen die Hälfte. Eine Führung auf Englisch gibt es jeden Samstag um 12:00 Uhr.

Hop-on-hop-off-Busrundfahrt

Entdecken Sie täglich zwischen 10:30 Uhr und 18:00 Uhr in einer 2-stündigen Stadtrundfahrt mit dem Doppeldeckerbus die Altstadt und weitere
10 Sehenswürdigkeiten in der Umgebung. Mit dem Hop-on-hop-off-Ticket können Sie einen Tag lang an 8 verschiedenen Haltestellen ein- und aussteigen. Sie können Pausen machen und Museen besuchen, die Geschäfte in der Altstadt ansehen, etwas essen oder die historischen Häuser besichtigen. Für die Stadtrundfahrt gibt es einen Audioguide, den Sie auf Deutsch, Englisch,
15 Französisch, Türkisch und Russisch einstellen können. Ein Tagesticket für die Hop-on-hop-off-Busrundfahrt kostet 15 Euro pro Person, Kinder (bis 14 J.) kosten 8 Euro. Der Audioguide ist inklusive.

! Tipps:
Reservierung empfohlen!

Für alle öffentlichen Führungen können Sie Tickets in der Touristeninformation kaufen.

Sie können Tickets auch beim Busfahrer bzw. beim Reiseführer kaufen.

1 Kreuzen Sie an. Richtig oder falsch?

     R   **F**   1   Es gibt jeden Tag eine Stadtführung zu Fuß und eine Busrundfahrt.

     R   **F**   2   Die Stadtführung zu Fuß gibt es mehrmals pro Woche auch auf Englisch.

     R   **F**   3   An acht Haltestellen kann man den ganzen Tag ein- und aussteigen, so oft man will.

2 Was kann man in den Pausen machen? Ergänzen Sie.

-
-
-
-

3 Wie viel kostet es? Ergänzen Sie.

Die Stadtführung zu Fuß kostet für Kinder   Euro, Erwachsene bezahlen   Euro.

Die Stadtrundfahrt kostet   Euro   . Den Audioguide muss man

     bezahlen.

8 INFORMATIONEN ERFRAGEN

a) Arbeiten Sie zu zweit. Jeder macht eine Reise. Fragen Sie Ihren Partner nach den Reisedetails von seiner Reise. Ihr Partner fragt Sie nach Ihren Reisedetails.

Partner A
Hamburg
Montag
Mittwoch
11:46 Uhr
15:38 Uhr
Gleis 3
94€

- Ort
- Tag/Hinfahrt
- Tag/Rückfahrt
- Uhrzeit
- Gleis
- Preis

Partner B
Nürnberg
Dienstag
Freitag
7:04 Uhr
20:56 Uhr
Gleis 1
78€

b) Sie reisen per Mitfahrgelegenheit von Leipzig nach Stuttgart. Sie haben aus dem Internet bereits die Nummer von einem Fahrer. Rufen Sie den Fahrer an und sprechen Sie am Telefon über die Reisedetails. Arbeiten Sie zu zweit. Spielen Sie den Dialog und machen Sie sich Notizen.

Treffpunkt:

Uhrzeit:

Strecke (über Frankfurt oder über Nürnberg?):

Auto (Marke, Farbe, Kennzeichen):

Bezahlung (wann? wie viel?):

Ankunft:

9 SPRACHREISE

a) Sie möchten Ihr Englisch verbessern und suchen eine Sprachreise. Sie finden die folgende Anzeige. Sie rufen bei *Sprachreisen-mit-uns* an und stellen Fragen zu folgenden Antworten. Schreiben Sie die Fragen.

> **Sprachreisen-mit-uns**
> Wir haben noch Plätze frei:
> * Paris: 3.–12.9.
> * Oxford: 15.–24.10.
> * Mailand: 2.–12.11.
> Vormittags Unterricht, nachmittags Freizeitprogramm, Unterkunft in Gastfamilien, Wochenendausflüge in die Umgebung, **ab 1.299 €**
> Infos unter 08000-2750275 oder info@sprachreisen-mit-uns.de

1 _____ ?

Ja, für Oxford haben wir noch Plätze frei.

2 _____ ?

Der Unterricht beginnt um 9 Uhr.

3 _____ ?

Der Unterricht dauert 3 Stunden.

4 _____ ?

Am Nachmittag gibt es z. B. Sportangebote, Kino, Picknick im Park.

5 _____ ?

Ja, bei der Gastfamilie haben Sie normalerweise ein eigenes Zimmer.

6 _____ ?

Nein, die Wochenendausflüge kosten nichts extra.

7 _____ ?

Der Aufenthalt in Oxford kostet 1.359 Euro.

b) Sie möchten noch mehr Informationen bekommen. Schreiben Sie eine E-Mail an den Veranstalter und stellen Sie zwei oder drei Fragen zu:

- Wohnort der Gastfamilie
- Gastfamilie wechseln
- Alter der Kursteilnehmer
- Freizeitprogramm
- Ausflugsziele

Schreiben Sie auch eine passende Anrede, eine Einleitung, einen Schlusssatz und einen Gruß. Vergessen Sie den Betreff nicht.

c) Markieren Sie in Ihrer Mail aus b) mit verschiedenen Farben:

Anrede   Einleitung   Gruß   Hauptteil   Schlusssatz   Thema/Betreff

10 PERFEKT MIT *HABEN* ODER *SEIN* – EINE AUSWANDERIN ERZÄHLT

Ergänzen Sie *haben* oder *sein*.

(1) Als Kind _____ ich jedes Jahr mit meinen Eltern in den Urlaub in die Berge gefahren.

(2) Dort _____ wir gewandert und _____ Picknick in der Natur gemacht. (3) Manchmal

_____ wir auch in einem See geschwommen. (4) Abends _____ wir oft gegrillt und uns mit

den anderen Leuten aus der Pension unterhalten. (5) Das _____ viel Spaß gemacht. (6) Mit 16 Jahren

_____ ich dann das erste Mal ohne meine Eltern verreist. (7) Als Urlaubsziel _____ ich einen

Ort in Spanien am Mittelmeer gewählt. (8) Ich _____ zehn Tage dort geblieben und _____

mich komplett in diese Region verliebt: das Meer, das Wetter und die Leute, einfach fantastisch! (9) Von da

an _____ ich nie wieder in die Berge gegangen. (10) Ich _____ viele Länder am Mittelmeer

kennengelernt, Italien, Frankreich, die Türkei, Tunesien, Marokko, Kroatien, Griechenland und Ägypten, aber

nirgendwo _____ es mir besser gefallen als in Spanien. (11) Viele Jahre _____ ich meinen

Urlaub dort verbracht. (12) Im Sommer _____ ich irgendwo an der Küste gewohnt und im Winter

_____ ich oft die großen Städte besichtigt. Es war nie langweilig.

(13) Schließlich _____ ich mich für einen Umzug entschieden, für immer. (14) Ich _____ mein

Haus in Deutschland verkauft und einen Job in Spanien gesucht. (15) Ich _____ eine kleine Wohnung

in Andalusien gemietet und eine Arbeit in einem Hotel gefunden. Hier bin ich glücklich, und den Regen in

Deutschland vermisse ich gar nicht.

11 WANN HAST/BIST DU DAS LETZTE MAL ...?

Sprechen Sie mit Ihrem Partner. Fragen Sie und geben Sie Antworten.

- in den Urlaub fahren
- deine Hausaufgaben machen
- deine Familie besuchen
- essen
- Computer spielen
- duschen
- ein Date haben
- einen Film gucken
- einen Städtetrip machen
- für Freunde kochen
- mit der Familie skypen
- ...

12 EINE PACKLISTE SCHREIBEN

Sie fahren in den Sommerurlaub. Schreiben Sie eine Packliste.

Waschen	Kleidung	Unterhaltung	Sonstiges
2 Handtücher	1 Jacke	1 Reiseführer	
1 Shampoo			

13 AM FLUGHAFEN

a) Ordnen Sie die Bilder den Wörtern zu. Arbeiten Sie mit dem Wörterbuch und finden Sie die Artikel.

Abflug Ankunft Bordkarte Check-in Flughafen Flugzeug Gepäck Handgepäck Sicherheitskontrolle Wartebereich

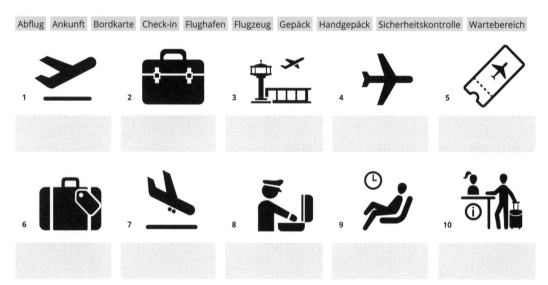

b) Ergänzen Sie die Lücken mit den Wörtern aus a).

Aron Summer fliegt heute von Köln nach München. Der _____ (1) ist um 12:35 Uhr von

Gate A. Die _____ (2) in München ist um 13:40 Uhr. Er muss etwa 90 Minuten früher am

_____ (3) eintreffen. Er muss vor dem Flug sein _____ (4)

am _____ (5) aufgeben und die _____ (6) durchlaufen. Sein

_____ (7) darf er später mit ins Flugzeug nehmen. Danach kann er im _____ (8)

warten. Er muss seine _____ (9) zeigen, dann kann er in das _____ (10) einstei-

gen.

14   HOTELBUCHUNG

Lesen Sie die Aufgaben. Hören Sie dann den Dialog und beantworten Sie die Fragen in Stichpunkten (keine ganzen Sätze).

1   Wie lange wollen Herr und Frau Kandinski Urlaub machen?

2   In welchem Monat möchten sie ihren Urlaub machen?

3   Ist das noch Hauptsaison?

4   Wie viel kostet das Zimmer pro Nacht?

5   Wie viel kostet das Frühstück pro Person und Tag?

6   Wie viel kostet Halbpension pro Person und Tag?

7   Gibt es bei Halbpension das warme Essen mittags oder abends?

8   Wo kann man alternativ mittags und abends essen?

9   Welchen Service bietet das Hotel für Wanderer an?

10   Sind alle Zimmer mit Badewanne?

11   Füllen Sie das Reservierungsformular für die Kandinskis aus.

Name: _____   Vorname: _____

E-Mail: _____

Zimmer: ☐ Einzelzimmer   ☐ Doppelzimmer   ☐ Kinderbett

Verpflegung: ☐ ohne Verpflegung   ☐ Frühstück   ☐ Halbpension

Aufenthalt vom: _____   bis zum: _____

15 WOHIN GEHT DIE REISE?

Arbeiten Sie zu zweit. Sie möchten gemeinsam verreisen und wollen sich nun auf ein Reiseziel und -datum einigen. Partner A möchte im September nach Bern, Partner B im Juli oder August nach Bremen.

Lesen Sie die Informationen (A oder B). Diskutieren Sie mit Ihrem Partner und machen Sie Vorschläge. Entscheiden Sie am Ende: Reisen Sie nach Bern oder nach Bremen?

Informationen Partner A:	**Informationen Partner B:**
Bern: Hotel Sonnenschein ***, ÜF, HP oder VP, Hauptsaison Juli/August EZ ab 55 €, DZ ab 45 € p. P./ Nacht	Bremen: Hotel Stadtmusikanten **, ÜF, HP oder VP, Nachsaison September EZ ab 30 €, DZ ab 27 € p. P./ Nacht

16 PERFEKT – AUSFLUG UND REISE

a) Schreiben Sie die Sätze im Perfekt.

1 Am Wochenende plane ich einen Ausflug.

2 Ich fahre nach Nürnberg.

3 Ich wohne in einem Hotel im Zentrum.

4 Ich buche nur Übernachtung und Frühstück.

5 Mittags esse ich Döner oder Pommes und abends gehe ich ins Restaurant.

6 Ich mache viele Fotos von den Sehenswürdigkeiten.

7 Am Sonntag sehe ich ein Fußballspiel.

8 Das Ticket kaufe ich im Internet.

b) Ein langer Tag : Bilden Sie Sätze im Perfekt.

1 aufstehen: gestern / um 8 Uhr / ich

2 einkaufen: um 10 Uhr / für meine Mutter / Blumen / ich

Sidebar:

ÜF = Übernachtung mit Frühstück

HP = Halbpension

VP = Vollpension

EZ = Einzelzimmer

DZ = Doppelzimmer

p. P. = pro Person

3 besuchen: meine Eltern / mittags / ich

4 einladen: zum Essen / mich / sie / ins Restaurant

5 bezahlen: natürlich / sie / das Essen

6 vergessen: aber / das Geld / mein Vater

7 laufen: zur Bank / schnell / er

8 bringen: ich / nach Hause / meine Eltern / dann

9 unternehmen: eine Fahrradtour / ich / am Nachmittag

10 anrufen: ich / einen Freund / danach

11 fernsehen: ich / lange / am Abend

12 einschlafen: um 2 Uhr / in der Nacht / ich / endlich

c) Urlaubsvorbereitungen: Was haben Sie schon alles erledigt? Schreiben Sie Sätze im Perfekt und benutzen Sie Pronomen.

1 Du musst noch ein Hotel buchen. – Nein, *ich habe es schon gebucht.*

2 Du musst noch deinen Pass einstecken. – Nein,

3 Du musst noch deinen Koffer packen. – Nein,

4 Du musst noch die Wohnung putzen. – Nein,

5 Du musst noch das Navi programmieren. – Nein,

6 Du musst noch die belegten Brote einpacken. – Nein,

Du musst den Nachbarn den Schlüssel geben. – Oh ja, das habe ich vergessen!

17 PERFEKT MIT VERBEN AUF -IEREN

a) Ergänzen Sie das Partizip II von den passenden Verben.

anprobieren fotografieren interessieren markieren passieren präsentieren rasieren regieren spazieren studieren
telefonieren

1 Sie hat zwei Jahre an der Universität in Erfurt _____.

2 Der Fotograf hat die Landschaft _____.

3 Wir sind durch den Park _____.

4 Eva hat ihre Beine _____.

5 Eishockey hat Juliane noch nie _____.

6 Der Student hat die neuen Wörter gelb _____.

7 Sie hat gestern lange mit ihrer Freundin _____.

8 Auf der Autobahn ist ein Unfall _____.

9 Der Student hat das Thema in seinem Referat gut _____.

10 Ich habe die Hose in der Umkleidekabine _____.

11 Die Präsidentin hat ihr Land gut _____.

b) Lesen Sie noch einmal die Verben auf -ieren. Wählen Sie mindestens drei Verben aus und schreiben Sie eine Mini-Geschichte.

18 EIN AUSFLUG AN DIE MOSEL

Setzen Sie den Text ins Perfekt.

(Teil 1) (1) Im Urlaub machen wir einen Ausflug an die Mosel. (2) Wir fahren mit dem Zug von Aachen nach Koblenz. (3) Dort steigen wir auf ein Schiff um und fahren die Mosel hinauf. (4) Wir sehen die Landschaft mit Bergen, Dörfern und Weinreben. (5) Die Sonne scheint, also sitzen wir draußen. (6) Wir trinken Kaffee und essen Kuchen. (7) In Moselkern steigen wir aus. (8) Wir spazieren zur Burg Eltz den Berg hinauf und genießen die wunderbare Natur. (9) Die Burg (fast 1000 Jahre alt) sieht wie ein Märchenschloss aus. (10) Wir besichtigen die Burg. (11) Der Eintritt kostet 8 € pro Person. (12) Wir bekommen eine Führung durch die Burg: (13) Wir sehen die Wohnräume, wir schauen die Schatzkammer an und lernen viel über das Leben im Mittelalter.

(1) Im Urlaub haben wir ...

(Teil 2) (14) Später gehen wir in das Restaurant auf der Burg und essen „Ritterbraten" und „Knappensteak". (15) Danach fotografieren wir die Burg und die Aussicht über das Tal. (16) Dann wandern wir zurück zum Fluss. (17) Um 17 Uhr fährt unser Schiff ab und wir kehren nach Koblenz zurück. (18) Wir probieren ein Glas von dem berühmten Mosel-Wein und machen uns dann auf den Weg zum Bahnhof. (19) Spät am Abend liegen wir endlich in unseren Betten.

19 MEINE REISE NACH BARCELONA

Schreiben Sie einen Text über Ihre letzte Reise nach Barcelona. Was haben Sie gemacht? Schreiben Sie im Perfekt.

- ein Hotel im Internet buchen
- einen Tag vorher den Koffer packen
- mit Verspätung abfliegen
- sich im Flieger an den Gang setzen
- einen Tomatensaft im Flugzeug trinken
- vom Flughafen mit dem Bus ins Hotel fahren
- in einen anderen Bus umsteigen
- um 18:00 Uhr im Hotel ankommen
- nette Menschen treffen
- Souvenirs kaufen
- den ganzen Tag am Strand liegen
- eine Stadtführung machen
- jeden Abend in eine Bar gehen
- in der Nacht wieder abreisen

20 PRÄTERITUM – PARTY

Ergänzen Sie die Verben im Präteritum.

1   Am Wochenende _____ Tina Geburtstag (haben).

2   Viele Freunde _____ da (sein).

3   Es _____ Kuchen und leckere Getränke auf der Party (es gibt).

4   Tim _____ auch zur Party kommen (wollen).

5   Leider _____ er nicht kommen, denn er _____ arbeiten (können, müssen).

6   Das _____ Tina nicht und sie _____ sehr traurig (wissen, sein).

7   Aber dann _____ Tim früher von seiner Arbeit gehen und _____ doch zur Party

   kommen (dürfen, können).

8   Das _____ Tina super und sie _____ überglücklich (finden, sein).

9   Am Ende _____ alle viel Spaß (haben).

21 LILLAS NEUER REISEBLOG

Lesen Sie den Text und kreuzen Sie an. Richtig oder falsch?

Lillas neuer Reiseblog

| Start | Archiv | Reiseziele | Reisetipps | Autorin |

Hey Leute,

ich habe mal wieder eine echt tolle Reise gemacht, nach Schloss Neu-schwanstein – oder wie ich es nenne: das schönste Märchenschloss in Deutschland!

5 Neuschwanstein ist ja das meistbesuchte Schloss Europas, nirgendwo gibt es mehr Besucher als dort! Und da habe ich gedacht: „Mensch Lilla, da musst du hin!". Eine gute Entscheidung, denn es war wirklich toll!

Übernachtet habe ich in Füssen, das ist die nächstgrößere Stadt da unten (mit „da unten" meine ich natürlich unser nettes Bundesland im Süden von Deutschland, Bayern). Die

10 Stadt liegt an einem großen See, das wirkt dort alles total romantisch.

Das Schloss steht auf einem Berg, eigentlich logisch, wusste ich aber vorher nicht. Man muss 40 Minuten laufen, oder man kann mit der Kutsche fahren. Ich hatte leider die falschen Schuhe dabei (12 cm Absatz – sieht vielleicht gut aus, zum Wandern aber nicht so gut), also habe ich natürlich die Kutsche genommen. Ach ja, habe ich schon gesagt, dass es extrem kalt war? 5 Grad! Aber in der Kutsche gab es zum Glück

15 eine warme Decke. Tatsächlich war das mit der Kutsche aber doch keine so gute Idee ... die ist nämlich gar nicht direkt bis zum Schloss gefahren. Also mussten wir aussteigen und dann doch noch 15 Minuten zum Schloss wandern. Ihr könnt euch ja vorstellen, wie schlecht das mit meinen High Heels ging – danach haben meine Füße ganz schön wehgetan. Aber dann war ich endlich da, am Märchenschloss von Ludwig II. Im Innenhof musste ich dann noch 30 Minuten warten, bis meine Führung begonnen hat. Man

20 darf nämlich nicht alleine das Schloss besichtigen, nur mit einer Führung. Die dauert etwa 30 Minuten. Ich war ein einziger Eiszapfen, als es endlich losgegangen ist. War aber trotzdem super. Alles wirkte so groß und bunt! Und ich muss sagen: Damals im 19. Jahrhundert war das doch alles echt modern – sogar die erste Toilette mit Wasserspülung hat Ludwig II. gebaut. Technik hat den Märchenkönig wohl sehr in-teressiert. Der Mann, der mit uns die Führung gemacht hat, war echt nett. Und was der alles wusste! Hat

25 mich wirklich überrascht! Ach so, Fotos im Schloss darf man übrigens nicht machen, ist streng verboten. Ich habe mich nicht mal getraut, die Handykamera zu benutzen. Aber am Ende kommt man in einen Museumsshop, da habe ich ein paar Postkarten als Erinnerung gekauft. Die zeige ich euch noch:

| Das Speisezimmer | Der Sängersaal | Der Thronsaal (jetzt mit LEDs!) |

Müsst ihr echt auch mal hin, 100 Punkte von mir :)!

30 Bis bald mal wieder,
eure Lilla

R	F	1	Kein anderes Schloss in Europa hat mehr Touristen.
R	F	2	Lilla hat in Bayern übernachtet.
R	F	3	Das Schloss liegt an einem See.
R	F	4	Mit der Kutsche braucht man 40 Minuten bis zum Schloss.
R	F	5	Am Tag von Lillas Besuch war es nicht warm.
R	F	6	Lilla musste noch 30 Minuten laufen und 15 Minuten warten.
R	F	7	Ludwig II. hat sich für Technik interessiert.
R	F	8	Fotografieren ist nicht erlaubt, aber Lilla hat mit dem Handy fotografiert.

22 EIN AUSFLUG NACH BERLIN

a) Lesen Sie die E-Mail an Anna. Welche Ausdrücke können Sie auch für Ihren eigenen Text (Aufgabe b)) verwenden?

Von: sandra.b@briefe.de
Betreff: Berlin
An: anna-lena@briefe.de

→ Antworten → Weiterleiten ⊘ Löschen

Liebe Anna,

am Wochenende habe ich einen Ausflug nach Berlin gemacht. Das muss ich dir erzählen!

Ich musste früh aufstehen, weil ich um 7 Uhr meinen Freund abgeholt habe. Dann sind wir zusammen zum Hauptbahnhof gegangen. Um 8 Uhr sind wir losgefahren und ich habe im Zug noch ein bisschen geschla-
5 fen. Die Fahrt hat ungefähr 80 Minuten gedauert. In Berlin haben wir zuerst einmal gefrühstückt und dann haben wir natürlich das Brandenburger Tor besichtigt. Wow! Das war wirklich super! Danach haben wir eine Stadtrundfahrt mit einem Bus gemacht. Die Stadtrundfahrt hat fast zwei Stunden gedauert und wir haben sehr viele Sehenswürdigkeiten gesehen. Dann hat endlich die Sonne geschienen und wir haben uns die Berliner Mauer angesehen. Am Nachmittag haben wir einen Einkaufsbummel gemacht und Souvenirs
10 gekauft. Danach hatten wir echt großen Hunger und sind in ein Restaurant gegangen.

Um kurz nach Mitternacht sind wir dann wieder zurückgefahren und ich war total kaputt. Aber Berlin ist wirklich eine interessante Stadt! Da können wir auch bald zusammen hinfahren!

Bis bald und liebe Grüße
Deine Sandra

b) Schreiben Sie einen Text wie in a) und erzählen Sie von einem Ausflug.

23 OLE UND AHMED IN PARIS

Schreiben Sie den Text in der Vergangenheit (Perfekt und Präteritum).

(1) Ole und Ahmed wollen zusammen nach Paris fahren. (2) Bei der Mitfahrzentrale finden sie eine günstige Mitfahrgelegenheit. (3) Die Fahrt dauert 5 Stunden. (4) Sie wohnen in einer Jugendherberge im Zentrum, also können sie viel zu Fuß besichtigen. (5) Sie kaufen aber auch Tagestickets für die Metro, so können sie schnell von Ort zu Ort kommen. (6) Natürlich sehen sie den Eiffelturm, das Wahrzeichen von Paris. (7) Und sie gehen zu den Kirchen Notre Dame und Sacre Coeur, genießen die Aussicht vom Montmartre und besuchen das Louvre-Museum und sehen dort die Mona Lisa. (8) Auch die Champs-Elysees, eine große und schöne Straße, spazieren sie hinauf bis zum Triumphbogen. (9) In einem Bistro essen sie mittags oft eine Kleinigkeit und trinken einen Kaffee. (10) Abends fahren sie manchmal in einen Club oder sehen fern.

(1) Ole und Ahmed wollten ...

24 HERR SELDT UND HERR SAHM

Herr Seldt und Herr Sahm sind Nachbarn und sprechen über das Wochenende.

Ergänzen Sie die passenden Verben in der richtigen Zeit: Präsens (Gegenwart), Perfekt (Vergangenheit) oder Präteritum (Vergangenheit). Manche Verben kommen mehrfach vor.

| fahren | geben | gehen | haben | kennen | kommen | müssen | nehmen | regnen | scheinen | sein | wollen |

Herr Seldt: Hallo Herr Nachbar! Wie   (1) das Wochenende?   (2) Sie wieder

unterwegs?

Herr Sahm: Ja, na klar. Aber der Ausflug   (3) ganz schrecklich! Gestern Abend   (4)

ich deshalb sehr schlechte Laune!

Herr Seldt: Oh, was   (5) denn los?

Herr Sahm: Ich   (6) in Bad Salzkruste, das ist ein Kurort. Aber ach, ich   (7) über-

haupt kein Glück.   (8) Sie auch solche Tage?

Herr Seldt: Oh ja! **Sind** Sie denn wie immer mit dem ICE   (9)?

Herr Sahm: Ja, und da   (10) es auch schon los mit dem Pech! Dieses Mal   (11)

ich keine Sitzplatzreservierung und es   (12) keinen Sitzplatz mehr. Ich

      (13) die ganze Zeit stehen.

Herr Seldt: Ach nein! Wie ärgerlich!

Herr Sahm: Ja, es   (14) eine teure und unbequeme Zugfahrt. Und mit dem Wetter

      (15) ich auch Pech. Ich   (16) gerade in Bad Salzkruste in

einem schönen Park, da hat es geregnet. Ich   (17) gerade im Museum, da

      (18) die Sonne   (19). Dann   (20) ich

wieder draußen, ...

Herr Seldt: ... und es   (21) wieder   (22). Da   (23) Sie aber wirklich

Pech.

Herr Sahm: Später _____ (24) ich in ein Restaurant _____ (25), aber da _____ (26) ich kein Geld mehr; mein Portemonnaie _____ (27) plötzlich weg!

Das _____ (28) natürlich sehr ärgerlich. Ich _____ (29) sogar Kopfschmerzen vor Ärger und _____ (30) eine Tablette _____ (31).

Herr Seldt: Und wie _____ (32) die Rückreise? Ohne Portemonnaie _____ (33) Sie ja vermutlich auch keine Fahrkarte mehr dabei, oder?

Herr Sahm: Die Fahrt _____ (34) gar nicht schön. Ich _____ (35) die ganze Zeit auf der Toilette. An der Toilette _____ (36) ein Schild „Außer Betrieb". Aber die Tür _____ (37) offen. Ich _____ (38) rein _____ (39). So _____ (40) ich ein bisschen Ruhe.

Herr Seldt: Ein Schaffner _____ (41) also nicht zu Ihnen _____ (42)?

Herr Sahm: Nein, ich _____ (43) die ganze Zeit allein.

Herr Seldt: Na, sehen Sie! Ein wenig Glück _____ (44) Sie ja doch!

25 LOKALE PRÄPOSITIONEN

a) Ergänzen Sie die Präpositionen. Manche Präpositionen kommen mehrfach vor.

| an | auf | hinter | in | neben | über | unter | vor | zwischen |

Der Beamer ist _____ (1) der Tafel. Der CD-Player steht _____ (2) dem Tisch. Der Flipchart-Ständer ist _____ (3) der Tafel und _____ (4) dem CD-Player. Die Tür ist _____ (5) der Uhr. Der Stuhl steht _____ (6) dem Tisch. Der kleine Tisch steht _____ (7) den anderen Tischen. Die Poster hängen _____ (8) der Wand. Die Lampen hängen _____ (9) den Tischen. Normalerweise sind die Kursteilnehmer _____ (10) dem Kursraum und der Lehrer steht _____ (11) der Tafel.

b)   Setzen Sie die passenden Präpositionen ein.

ab   auf   an   aus (2x)   bei (2x)   bis   durch   entlang   gegen   gegenüber   herum   in (4x)   nach   neben   um   von   zu (3x)

Ich bin Melia, komme _____ (1) der Türkei und wohne zurzeit _____ (2) meiner Tante _____ (3) Kevelaer. Dieses Jahr war ich zum ersten Mal _____ (4) einem Karnevals-umzug _____ (5) Köln. Meine Freundin Gudrun lebt dort und hat mich eingeladen. Deshalb bin ich gestern ganz früh _____ (6) Gudrun _____ (7) Köln gefahren. Mit der Bahn dau-ert es _____ (8) Kevelaer _____ (9) Krefeld über eine halbe Stunde, denn die Bahn ist sehr langsam. Aber _____ (10) Krefeld bin ich dann mit dem RegionalExpress weitergefahren. _____ (11) meinem Abteil waren schon viele Karneval-Fans, sie haben laut gesungen und Sekt _____ (12) Plastik-Bechern getrunken – morgens um 9:00 Uhr... Der Mann _____ (13) mir war so betrunken, er ist _____ (14) die Glastür gelaufen! Au! Gott sei Dank hat Gudrun direkt _____ (15) dem Gleis auf mich gewartet. Wir sind dann _____ (16) dem großen Karne-valsumzug gegangen – das war toll! Unglaublich, wie viele Menschen die Severinstraße _____ (17) gestanden haben. Die Wagen waren alle sehr schön geschmückt und mir hat vor allem die Atmosphäre gut gefallen. Alle Menschen _____ (18) uns _____ (19) haben auf der Straße getanzt und laut gesungen. Nach drei Stunden habe ich aber ein bisschen Ruhe gebraucht, deshalb sind Gudrun und ich _____ (20) einem Freund gegangen. Er wohnt direkt _____ (21) der Kölner Innenstadt. Ich war richtig froh, als wir _____ (22) seine Haustür gegangen sind und alles plötzlich ruhig war. _____ (23) seiner Wohnung, auf der anderen Straßenseite, gibt es eine Bäckerei. Gudrun hat dort für uns alle Berliner gekauft, wir haben uns _____ (24) sein Sofa gesetzt und gemütlich Kaffee ge-trunken.

1 AKKUSATIV

a) Ergänzen Sie die unbestimmten Artikel und die Personalpronomen im Akkusativ. Manche Lücken bleiben leer (/).

1 Ich habe **einen** Tisch. Ich finde **ihn** groß.

2 Ich habe _____ Hobby. Ich finde _____ interessant.

3 Ich habe _____ Deutschbuch. Ich finde _____ nützlich.

4 Ich habe _____ drei neue T-Shirts. Ich finde _____ bequem.

5 Ich habe _____ Katze. Ich finde _____ süß.

6 Ich habe _____ Handy. Ich finde _____ praktisch.

7 Ich habe _____ Rucksack. Ich finde _____ groß.

8 Ich habe _____ Filzstifte. Ich finde _____ super.

9 Ich habe _____ Fahrrad. Ich finde _____ praktisch.

10 Ich habe _____ Uhr. Ich finde _____ cool.

11 Ich habe _____ Mann/ _____ Frau. Ich liebe _____ / _____ sehr.

b) Bilden Sie jetzt eigene Beispiele.

1 Ich habe _____. Ich finde _____.

2 Ich habe _____. Ich finde _____.

2 NOMINATIV UND AKKUSATIV

Es ist Schlussverkauf im Kaufhaus. Ergänzen Sie bestimmte und unbestimmte Artikel, Possessivartikel, Negationsartikel und Personalpronomen im Nominativ und im Akkusativ.

▪ Schau mal, _____ (1) Pullover ist super. Probierst du _____ (2) an?

♦ Ich weiß es nicht. Eigentlich brauche ich k_____ (3) Pullover. Ich brauche _____ (4) T-Shirt. Hier,

_____ (5) T-Shirt ist doch schick, oder? Ich glaube, ich nehme _____ (6).

▪ Willst du _____ (7) nicht zuerst anprobieren?

♦ Nein, ich kenne m_____ (8) Größe. Und wie findest du _____ (9) Hose hier? Ich brauche

_____ (10) Hose. M_____ (11) Hosen sind schon alt.

▪ Ich bin nicht sicher. Ist _____ (12) Hose nicht ein bisschen zu modern?

♦ Das fragst du m_____ (13)? Du bist doch _____ (14) Expertin hier!

▪ Ja, ich frage d_____ (15). Du musst _____ (16) schließlich anziehen.

♦ U_____ (17) Freunde tragen doch alle so etwas. Ich nehme _____ (18). _____ (19) passt gut.

▪ Ich suche noch _____ (20) Rock. Bald kommt der Sommer, da brauche ich _____ (21) Rock und

_____ (22) Kleid. Ich habe k_____ (23) Sommerkleidung.

♦ Und warum ist dann d_____ (24) Schrank so voll? Frauen, _____ (25) habt einfach nie etwas zum

Anziehen ...

1 MODALVERBEN UND IMPERATIV – HERR BEIKER HAT GEBURTSTAG

Herr Beiker hat Geburtstag. Frau Beiker hat ein besonderes Geschenk für ihn: Als Geburtstagskind darf er sich alles wünschen und sie muss es machen. Das gefällt ihm! Ergänzen Sie Modalverben oder den Imperativ von passenden Verben.

1   Herr Beiker _____ Radio hören. Frau Beiker _____ das Radio anmachen.

2   Sie _____ aus der Bäckerei Kuchen für ihn holen.

3   Sie _____ einen Tee kochen.

4   Dann bittet er sie: „_____ du bitte noch die Fernbedienung herbringen?"

5   Und er sagt: „_____ doch noch das Fenster! Ich brauche frische Luft."

6   Danach _____ sie einen Zeitungsartikel vorlesen.

7   „Vielleicht _____ du noch meinen Kopf massieren? Geburtstage sind stressig!", sagt Herr Beiker.

8   Später geht sie einkaufen. Sie _____ eine Flasche Sprühsahne kaufen.

9   „Ich habe Torte auf mein Hemd gekleckert", sagt er. „_____ du es waschen?"

10   Abends sagt er: „Bitte, _____ das Licht an! Du _____ das Licht anmachen, ich _____ jetzt lesen. – Oder vielleicht _____ du doch den Fernseher einschalten?"

       Schließlich sagt seine Frau: „Ich wünsche dir ja alles Gute zum Geburtstag – aber nächstes Jahr bekommst du eine Krawatte!"

2 MEINE LETZTE GEBURTSTAGSFEIER

Wie haben Sie Ihren letzten Geburtstag gefeiert? Sprechen Sie mit Ihrem Partner.

- Wo hast du gefeiert?
- Wen hast du eingeladen?
- Was habt ihr gemacht?
- Welche Kleidung hast du getragen?

- Welche Geschenke haben deine Gäste mitgebracht?
- Wie lang hat die Feier gedauert?
- ...

3 WER MACHT WAS MIT WEM?

a) Was passt zusammen? Schreiben Sie Sätze mit Possessivartikel.

wer/wem?: Herr Mauer   Sara   Freundinnen   Lars   Zwillinge   Eltern   Briefträgerin   Baby   Oma   Hund   ...

Verben: schreiben   geben   erzählen   schenken   zeigen   ...

was?: Geschichte   Trinkgeld   Socken   Park   Brief   ...

Herr Mauer schenkt seinem Baby Socken.
Sara ...

b) Ersetzen Sie die Dativ- und Akkusativergänzungen durch Pronomen.

Herr Mauer schenkt sie ihm.
Sara ...

4 GASTGESCHENKE IN DEUTSCHLAND

a) Lesen Sie die Forumsbeiträge und ergänzen Sie die Antworten.

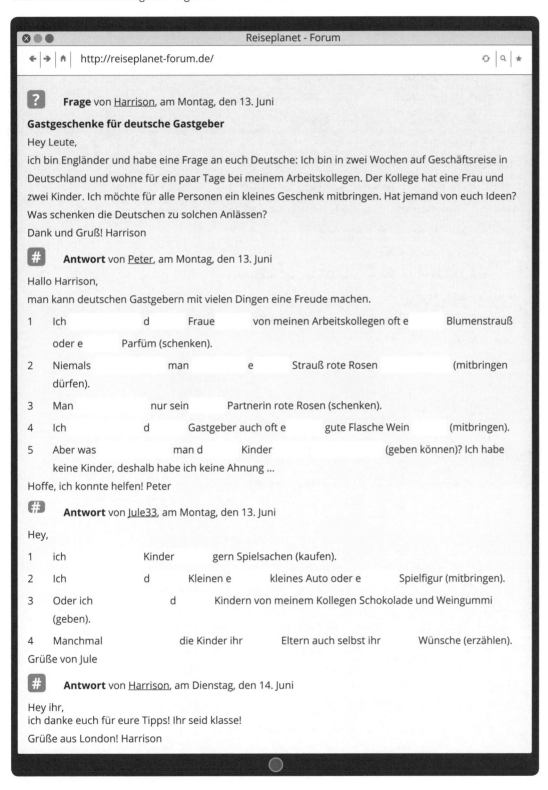

Reiseplanet - Forum

http://reiseplanet-forum.de/

? Frage von <u>Harrison</u>, am Montag, den 13. Juni

Gastgeschenke für deutsche Gastgeber

Hey Leute,

ich bin Engländer und habe eine Frage an euch Deutsche: Ich bin in zwei Wochen auf Geschäftsreise in Deutschland und wohne für ein paar Tage bei meinem Arbeitskollegen. Der Kollege hat eine Frau und zwei Kinder. Ich möchte für alle Personen ein kleines Geschenk mitbringen. Hat jemand von euch Ideen? Was schenken die Deutschen zu solchen Anlässen?

Dank und Gruß! Harrison

 # Antwort von <u>Peter</u>, am Montag, den 13. Juni

Hallo Harrison,

man kann deutschen Gastgebern mit vielen Dingen eine Freude machen.

1 Ich   d   Fraue   von meinen Arbeitskollegen oft e   Blumenstrauß oder e   Parfüm (schenken).

2 Niemals   man   e   Strauß rote Rosen   (mitbringen dürfen).

3 Man   nur sein   Partnerin rote Rosen (schenken).

4 Ich   d   Gastgeber auch oft e   gute Flasche Wein   (mitbringen).

5 Aber was   man d   Kinder   (geben können)? Ich habe keine Kinder, deshalb habe ich keine Ahnung ...

Hoffe, ich konnte helfen! Peter

 # Antwort von <u>Jule33</u>, am Montag, den 13. Juni

Hey,

1 ich   Kinder   gern Spielsachen (kaufen).

2 Ich   d   Kleinen e   kleines Auto oder e   Spielfigur (mitbringen).

3 Oder ich   d   Kindern von meinem Kollegen Schokolade und Weingummi (geben).

4 Manchmal   die Kinder ihr   Eltern auch selbst ihr   Wünsche (erzählen).

Grüße von Jule

 # Antwort von <u>Harrison</u>, am Dienstag, den 14. Juni

Hey ihr,
ich danke euch für eure Tipps! Ihr seid klasse!

Grüße aus London! Harrison

b) Jemand macht eine Geschäftsreise in Ihre Heimat und möchte den Kollegen ein Gastgeschenk mitbringen. Was empfehlen Sie? Schreiben Sie einen Forenbeitrag wie in a).

5 POST VON DEN GROßELTERN

a) Die Großeltern schreiben ihrer Familie aus dem Urlaub in der Türkei. Ergänzen Sie Personalpronomen und Artikel im richtigen Kasus.

Hallo meine Lieben,

_____ (ich) schicke _____ (ihr) liebe Grüße aus der Türkei. Opa und _____ (ich) geht es sehr gut, _____ (wir) genießen Land und Leute. _____ (wir) besichtigen viele Museen, d_____ alten Tempel gefallen _____ (wir) sehr. Das Wetter ist schön. Auch d_____ Essen schmeckt _____ (wir) sehr gut! Opa erklärt _____ (ich) immer, ich soll nicht zu viel essen, aber dann höre _____ (ich) _____ (er) einfach nicht zu.

Bis nach Istanbul kommen wir leider in diesem Urlaub nicht. Aber Izmir, Bergama und Troja sind sehr interessant. Und am Meer ist es auch sehr schön.

Viele Grüße (auch von Opa)

Eure Oma

b) Markieren Sie die Subjekte, die Dativobjekte und die Akkusativobjekte in verschiedenen Farben.

6 FESTE

a) Hören Sie die Dialoge und notieren Sie, um welches Fest es jeweils geht.

Dialog 1: _____   Dialog 3: _____

Dialog 2: _____   Dialog 4: _____

b) Richtig oder falsch? Lesen Sie die Sätze, hören Sie die Dialoge noch einmal und kreuzen Sie an. Korrigieren Sie die falschen Aussagen.

Dialog 1

R F 1 Die Frau wusste nichts von der Party.
Korrektur:

R F 2 Alle Gäste haben die Party zusammen geplant.
Korrektur:

R F 3 Das Geschenk ist ein Flugticket nach Venedig.
Korrektur:

Dialog 2

R F	4	Die Frauen möchten nicht feiern.	
		Korrektur:	

R F	5	Sie machen heute keine Vorsätze für das neue Jahr.	
		Korrektur:	

R F	6	Sie gehen morgen zum Sport.	
		Korrektur:	

Dialog 3

R F	7	Das Wetter ist dieses Jahr schön, darum kann die Eiersuche draußen stattfinden.	
		Korrektur:	

R F	8	Die Eltern suchen die Eier im Garten.	
		Korrektur:	

R F	9	Beide Kinder müssen gleich viele Eier finden.	
		Korrektur:	

Dialog 4

R F	10	Lena freut sich sehr auf Weihnachten.	
		Korrektur:	

R F	11	Lena glaubt an das Christkind, Paul an den Weihnachtsmann.	
		Korrektur:	

R F	12	Beide Familien singen am Weihnachten.	
		Korrektur:	

c) Schreiben Sie 5 Vorsätze für das neue Jahr und sprechen Sie mit Ihrem Partner.

Im nächsten Jahr möchte / will ich ...

7 MEINE LETZTE PARTY

Schreiben Sie im Perfekt über Ihre letzte Party. Gehen Sie auf folgende Punkte ein:

- Grund
- Gäste
- Kleidung
- Musik
- Essen, Getränke
- Aktivitäten
- Geschenke
- Was hat Ihnen gut gefallen? Was hat Ihnen überhaupt nicht gefallen?

8 GEFÄLLT MIR

Ergänzen Sie die Kommentare zu den Bildern bzw. schreiben Sie eigene Kommentare. Arbeiten Sie auch mit den Verben *passen, gefallen, stehen*.

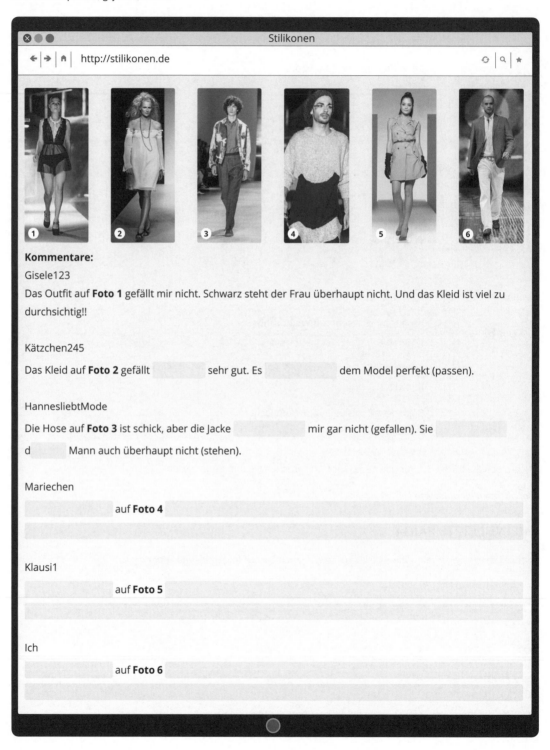

Kommentare:

Gisele123

Das Outfit auf **Foto 1** gefällt mir nicht. Schwarz steht der Frau überhaupt nicht. Und das Kleid ist viel zu durchsichtig!!

Kätzchen245

Das Kleid auf **Foto 2** gefällt ＿＿＿＿ sehr gut. Es ＿＿＿＿ dem Model perfekt (passen).

HanneslebtMode

Die Hose auf **Foto 3** ist schick, aber die Jacke ＿＿＿＿ mir gar nicht (gefallen). Sie ＿＿＿＿
d＿＿ Mann auch überhaupt nicht (stehen).

Mariechen

＿＿＿＿ auf **Foto 4**

＿＿＿＿

Klausi1

＿＿＿＿ auf **Foto 5**

＿＿＿＿

Ich

＿＿＿＿ auf **Foto 6**

＿＿＿＿

9 DAS KAUFEN VON LIKES

a) Lesen Sie die Überschrift. Worum geht es im Text?

b) Lesen Sie den Text und ordnen Sie die Zwischenüberschriften den Abschnitten zu.

A Fans für Centbeträge

B Die Firma Raketenstart

C Neue Geschäftsidee

D Fake-Freunde

E Kampf um die Likes

1 _____

Sebastian Krämer hat seit 2009 die kleine Firma *Raketenstart* in Berlin-Kreuzberg. Seine Firma designt für andere Menschen Profile bei sozialen Medien. Die Firma von Sebastian Krämer verdient auch viel Geld mit dem Verkauf von Likes.

5 **2** _____

Firmen brauchen Kunden. Darum laden sie im Netz immer wieder interessanten Content hoch und hoffen auf Likes. Manchmal funktioniert das gut, manchmal nicht. Einige Firmen machen es jetzt so: Sie kaufen Fans bei *Raketenstart*. Auch Ärzte, Künstler und politische Parteien sind hier Kunden.

3 _____

10 „Bei uns kostet ein Like zwischen 12 und 20 Cent", sagt Sebastian Krämer. Mit einem Mausklick können die Firmen so 100 oder 1000 falsche Fans kaufen.

4 _____

Die Likes von Sebastian Krämer kommen aber nicht von Robotern. Normale Nutzer liken etwas und verdienen so Geld. Oft sitzen diese Nutzer im Ausland, z. B. in Indien, Pakistan oder auf den Philippi-

15 nen.

5 _____

Wie viel verdient Sebastian Krämer jeden Monat mit den Likes? Das möchte er nicht sagen. Aber das Geschäft geht gut. Bald können Kunden auch Kommentare kaufen. So können Unternehmen leicht einen Candystorm* für ihre Produkte bekommen.

*Gegenteil von Shitstorm, positive Kommentare von Usern

c) Kreuzen Sie an. Richtig oder falsch?

R	F	1	Sebastian Krämer hat viel Geld.
R	F	2	Auch manche Ärzte kaufen sich Likes.
R	F	3	Alle Likes kosten gleich viel.
R	F	4	Sebastian Krämer verkauft Nutzern soziale Netzwerke.
R	F	5	Sebastian Krämer verkauft auch Candystorms.

Steht die Information nicht im Text? Dann ist der Satz falsch.

10 VERBEN MIT DATIVOBJEKT BENUTZEN

a) Sprechen Sie mit Ihrem Partner: Was gefällt Mia/ihr, was gefällt Abdul/ihm? Fragen Sie und geben Sie Antworten. Ergänzen Sie die fehlenden Antworten.

Partner A   *Was gefällt Mia? – Ihr gefällt Shopping.*
Wem stimmt Mia oft zu? – ...

	Mia	Abdul
gefallen	Shopping	Partys
oft zustimmen		Mia (Freundin)
gern zuhören		Lieder
nie widersprechen	Abdul	
gratulieren		Geburtstagskind
nachlaufen		Pizza-Liferantin
gut tun	Schokolade	
glauben	Vater	
oft helfen	nicht / Mutter	

Mia	Abdul	
Jonathan (Bruder)		oft helfen
Lehrer		glauben
Pizza		gut tun
	nicht / Ex-Freund	nachlaufen
	Abdul (Note A)	gratulieren
Eltern / Mia		nie widersprechen
	Gespräche	gern zuhören
	Mutter	oft zustimmen
Partys	Shopping	gefallen
Abdul	Mia	

Partner B   *Was gefällt Abdul? – Ihm gefallen Partys.*
Wem stimmt Abdul oft zu? – ...

b) Sprechen Sie jetzt mit Ihrem Partner über Ihre eigenen Vorlieben.

♦ *Wem widersprichst du nie?*

■ *Ich widerspreche nie meinem Vater. Und du?*

1   TEMPORALE PRÄPOSITIONEN

a)   Lesen Sie den Lebenslauf und ergänzen Sie die passenden temporalen Präpositionen.

Lebenslauf

PERSÖNLICHE DATEN

Name: Patricia Hensel

Geburtsdatum und -ort: 16.08.1992 in Brüssel

PRAKTISCHE ERFAHRUNG

09/2015 – heute   Liebich-Verlag, Berlin

                                  Projektmanagerin Neue Medien

08/2014 – 08/2015   Computer Next, Berlin

                                  Computerlinguistin

AUSBILDUNG

09/2011 – 08/2014   B.A. Computerlinguistik, Technische Universität Stuttgart

                                  Abschlussnote: 1,0

09/2003 – 05/2011   Maria-Burg-Gymnasium Augsburg

                                  Abschlussnote: 1,0

Patricia Hensel ist _____ (1) 16.08.1992 in Augsburg geboren. Sie ist _____ (2) September

2003 _____ (3) Mai 2011 zum Maria-Burg-Gymnasium gegangen. Danach hat sie _____ (4)

September 2011 _____ (5) August 2014 an der TU in Stuttgart Computerlinguistik studiert und das

Studium mit der Note 1,0 abgeschlossen. _____ (6) ihrem Studium hat sie ein Jahr bei der Firma

Computer Next in Berlin gearbeitet. _____ (7) September 2015 arbeitet sie als Projektmanagerin im

Bereich Neue Medien beim Liebich-Verlag in Berlin.

b)   Was passt? Streichen Sie die falschen Wörter durch.

1   Ich fahre im Juli / Wochenende zu dir.
2   Mira ist am Nacht / Morgen sehr müde.
3   Meine Tochter Karla ist im 2011 / Mai geboren.
4   Hast du morgen um Nachmittag / 15 Uhr Zeit?
5   Ich gehe gerne am Abend / Sommer spazieren.
6   Ich bin gestern erst um Mitternacht / Nacht nach Hause gekommen.

c)   Was passt? Kreuzen Sie an.

1   _____ fünf Monaten wohne ich in Deutschland.

   A   Vor   **B**   Seit

2   _____ Jahr 1989 ist die Berliner Mauer gefallen.

   A   Im   **B**   /

3   _____ 2002 gibt es in Deutschland den Euro.

   A   Seit   **B**   Von

4   Der Zug kommt pünktlich _____ 18:32 Uhr an.

   A   gegen   **B**   um

5   _____ dem Sport ist Emily müde und geht sofort ins Bett.

   A   Nach   **B**   Vor

6   Hast du für die Arbeit noch _____ Wochenende Zeit? – Nein, nur noch _____ Donnerstag.

   A   bis zum … bis   **B**   bis … bis zum

7   Die ganze Familie sitzt _____ Essen um den Tisch.

   A   beim   **B**   vor die

8   Jetzt habe ich keine Zeit, aber _____ zwei Stunden rufe ich dich an.

   A   seit   **B**   in

2   MODALE PRÄPOSITIONEN

a)   Ergänzen Sie die passenden modalen Präpositionen. Sie können die Präpositionen mehrmals verwenden.

`aus` `außer` `durch` `für` `gegen` `mit` `ohne`

1   Das Kind geht zum ersten Mal alleine _____ seine Eltern in den Supermarkt.

2   _____ dem Supermarkt gibt es keine Geschäfte in diesem Dorf.

3   Wir fahren immer _____ dem Bus zur Uni, das ist bequem und geht schnell!

4   Sie kauft ein Eis _____ 3 Euro.

5   Wir sind _____ die anstrengende 5-Tage-Arbeitswoche und _____ flexible Arbeitszeiten!

6   Sie sucht eine Wohnung _____ Balkon.

7   Der Schmuck ist _____ Silber.

8   _____ dich mache ich doch alles!

9   _____ den Kontakt zu Muttersprachlern hat er sein Deutsch verbessert.

10   _____ Grammatik mag ich den Deutschunterricht eigentlich sehr gern.

✖ b)   Ups, da ist was schiefgegangen! Korrigieren Sie die Präpositionen.

1   Mein Ehering ist ~~für~~ ^{aus} Gold.

2   Ich fahre gegen meiner besten Freundin in den Urlaub. Wir haben ein Doppelzimmer.

3   Ich werde außer Kaffee nicht richtig wach.

4   Ich möchte eine Familienpizza ohne vier Personen bestellen.

5   Er konnte die Aufgabe außer Probleme lösen, er ist sehr gut in Deutsch!

6   Die Freunde kochen durch viel Spaß zusammen.

7   Gegen viele Menschen ist der Urlaub die schönste Zeit im Jahr.

8   Ich mag alle deutschen Speisen für Kartoffelsalat.

3 LOKALE PRÄPOSITIONEN

a)   Ergänzen Sie die passenden lokalen Präpositionen. Sie können die Präpositionen mehrmals verwenden.

`aus` `bei` `nach` `von` `zu`

1   Am Samstag fahre ich _____ Berlin.

2   Warst du gestern _____ deinem Chef?

3   Du bist krank, bitte geh heute _____ deinem Hausarzt!

4   Woher kommen Sie gerade? – Ich komme gerade _____ Ulm, _____ einem Meeting.

5   Mein Zug fährt ohne Zwischenhalt _____ Berlin bis Hannover.

6   In den Ferien fahre ich _____ Hause _____ meiner Familie.

7   Hast du Jens' neues Auto schon gesehen? – Nein, er lässt es immer nur _____ Hause stehen.

8   Die Kursteilnehmer kommen _____ den USA.

9   Zoe und ihr Baby kommen morgen _____ dem Krankenhaus, alle warten schon.

10   Woher hast du die Nachricht? _____ dem Fernsehen oder _____ der Zeitung?

11   Warst du gestern _____ deinem Professor? – Nein, ich muss heute um zwei _____ ihm gehen.

b)   Ergänzen Sie die passenden lokalen Präpositionen. Sie können die Präpositionen mehrmals verwenden.

`bei` `gegenüber` `in` `nach` `zwischen` `zu`

Luca studiert Mechatronik _____ (1) Aachen und hat einen Praktikumsplatz _____ (2)

einem Automobilhersteller _____ (3) Stuttgart bekommen. Deshalb muss er in vier Monaten

_____ (4) Stuttgart ziehen. Er kann dort _____ (5) seiner Tante wohnen. Ihre Wohnung liegt

_____ (6) seinem Arbeitsplatz und dem Stadtzentrum. Heute muss er noch _____ (7) seinem

Professor gehen und mit ihm über das Praktikum sprechen. Direkt _____ (8) der Universität ist ein

Buchladen. Dort will er noch ein Buch über Stuttgart kaufen. Danach fährt er _____ (9) Hause, denn er

muss _____ (10) Hause seine Sporttasche holen. Am Abend geht er noch _____ (11) seinem

wöchentlichen Tennistraining.

c)   Ergänzen Sie die passenden lokalen Präpositionen.

`an` `auf (2x)` `durch` `entlang` `gegenüber` `in (2x)` `nach` `über` `unter` `zu`

Hallihallo Sandra,

wie geht es dir _____ (1) Berlin? Haben deine Kurse schon angefangen? Findest du schon alle Wege?

Ich bin gut _____ (2) Freiburg angekommen und mein Semester hat letzte Woche angefangen. Es

macht super viel Spaß! Und ich hatte Glück mit meiner Wohnung. Ich wohne _____ (3) der 1. Etage.

_____ (4) mir im Erdgeschoss gibt es einen China-Imbiss – lecker!!! Und _____ (5) mir wohnt

eine andere Studentin, sie ist supernett. _____ (6) meiner Wohnung, auf der anderen Straßenseite,

gibt es ein nettes Café, einen Frisör und einen Supermarkt. Das ist sehr praktisch. Freiburg ist wirklich eine schöne Stadt! Wann kommst du mal ▢▢▢ (7) mir ▢▢▢ (8) Freiburg? Dann können wir zu-

sammen ▢▢▢ (9) die Altstadt laufen und ▢▢▢ (10) dem Marktplatz ein leckeres Eis essen.

Oder wir machen einen Ausflug ▢▢▢ (11) den Rhein und spazieren den Fluss ▢▢▢ (12).

LG Jenny

4 PRÄPOSITIONEN GEMISCHT

Ergänzen Sie die passenden Präpositionen. Manche Lücken bleiben leer (/). Markieren Sie, ob die Präpositionen/Satzteile temporal (T), lokal (L) oder modal (M) sind.

Mein Name ist Baran Uysal. Ich komme **aus** (**L**) (1) Van, das ist eine Stadt ▢▢▢

(▢) (2) der Türkei. ▢▢▢ (▢) (3) drei Jahren wohne und arbeite ich ▢▢▢

(▢) (4) Deutschland. Ich bin Architekt ▢▢▢ (▢) (5) Beruf und arbeite ▢▢▢

(▢) (6) einer großen Baufirma ▢▢▢ (▢) (7) Stuttgart. Meine Arbeit macht mir großen

Spaß! Im nächsten Jahr gehe ich ▢▢▢ (▢) (8) fünf Monate ▢▢▢ (▢) (9) Istanbul.

Dort werde ich ▢▢▢ (▢) (10) Juni (▢) (11) November ▢▢▢

(▢) (12) einen Kunden dort arbeiten. ▢▢▢ (▢) (13) dem Projekt mache ich dann erst einmal

▢▢▢ (▢) (14) meiner Frau und meinem Sohn Urlaub ▢▢▢ (▢) (15) meiner Familie

in Van. Ich liebe meine Arbeit, aber ▢▢▢ (▢) (16) diese Pausen finde ich keine Inspiration!

▢▢▢ (▢) (17) der Zukunft möchte ich eine eigene Baufirma gründen.

5 PRÄPOSITIONEN – AUSLÄNDISCHE STUDENTEN

a) Ergänzen Sie die passenden Präpositionen. Sie können die Präpositionen mehrmals verwenden.

▢ am ▢ aus ▢ in ▢ nach ▢ seit ▢ um ▢ vor

Mein Name ist **Rodrigo** und ich komme ▢▢▢ (1) Spanien. Jetzt wohne ich ▢▢▢ (2) Karlsruhe. Ich studiere hier Kunst. Später möchte ich ▢▢▢ (3) einem Museum arbeiten. ▢▢▢ (4) zwei Monaten besuche ich einen Deutschkurs. Der Deutschkurs ist immer ▢▢▢ (5) Montag, Dienstag und Freitag. Es ist ein Abendkurs. Er findet immer ▢▢▢ (6) 18:00 Uhr statt. Tagsüber bin ich in der Uni!

Mein Name ist **Nuri** und ich komme ▢▢▢ (7) dem Iran. Ich bin ▢▢▢ (8) Deutschland gekommen, denn ich wollte hier studieren. Ich studiere Maschinenbau. Später möchte ich wieder zurück ▢▢▢ (9) den Iran gehen und dort als Ingenieur arbeiten. ▢▢▢ (10) meinem Studium muss ich einen Deutschintensivkurs besuchen. Er hat ▢▢▢ (11) 13.05. begonnen.

Mein Name ist **Mary** und ich komme ▢▢▢ (12) Nigeria. Jetzt wohne ich schon ▢▢▢ (13) drei Jahren ▢▢▢ (14) Deutschland. Ich studiere Philosophie ▢▢▢ (15) Aachen. Einen Deutschkurs habe ich auch gemacht. Das ist schon ein bisschen her. ▢▢▢ (16) 15. Juli 2016 habe ich meine DSH-Prüfung bestanden. Ich kenne das Datum genau, weil ich sehr stolz darauf bin.

 b) Stellen Sie einen Freund/eine Freundin aus dem Deutschkurs schriftlich vor.

Ihr Name ist Pamela und sie kommt …

1 STADTLEBEN UND LANDLEBEN

Ergänzen Sie die Wörter.

attraktiv   Experte   hoch   Lärm   schmutzig   Studie   Vorteile   Wege   Zufriedenheit

1   Der _____ durch den Verkehr in einer Großstadt gefällt mir nicht.

2   Das Landleben hat _____ für die Gesundheit: viel Bewegung in der Natur und die Luft ist frisch,

    nicht _____.

3   Der _____ berichtet über die Ergebnisse der neuen _____.

4   Gegenüber dem Landleben sind in der Stadt die Mieten _____, aber die _____ sind

    kurz.

5   Das Stadtleben finden viele junge Leute _____, ihre _____ ist hoch (über 80 %).

2 ANZEIGEN

Ordnen Sie den Personen (1-6) eine passende Anzeige (A - F) zu.

1   Max studiert Stadtplanung und interessiert sich für die Entwicklung von Städten in der Zukunft. ☐

2   Anastasia möchte sich mit ihren Freunden am Wochenende vom 30.6. bis zum 1.7. Kunst ansehen. Sie haben nur abends zwischen 18 und 20 Uhr Zeit. ☐

3   Samuel hat einen neuen Job in einem Architekturbüro. Er möchte einen neuen Schreibtisch kaufen, denn er arbeitet auch viel zu Hause. ☐

4   Michael besucht seinen Freund Tom in Hannover. Es ist der 4. Juli und es regnet den ganzen Tag. Was können sie ohne viel Geld unternehmen? ☐

5   Familie Hagen möchte aufs Land ziehen, aber in der Nähe von Hannover bleiben. Sie möchten das Landleben und ein paar Leute von dort kennenlernen. ☐

6   Lea beginnt im September ihr Architekturstudium. Sie hat kein Geld, aber sie braucht Möbel. ☐

Aktion* im Sommer im Möbelhaus Akaiu: A

30 % Rabatt auf alle Betten und Schränke!

35 % Rabatt auf Schreibtische!

*nur gültig vom 1. bis zum 15. August

Für Studenten von Stadtplanung und Architektur: B

Ab dem 30. August verschenken wir unsere alte Einrichtung. Es gibt Stühle, Tische, Material für Stadtmodelle und vieles mehr!

Galerie Abwechslung C

Schauen Sie sich die Bilder von verschiedenen jungen Künstlern bis zum 30. Juni täglich von 16 bis 20 Uhr an. Eintritt frei!

Sommerfest am 4.7. auf dem Land! D

Alle Städter aus Hannover sind herzlich willkommen! Lernen Sie das Landleben und die Menschen auf dem Bauernhof „Sonnenhof" kennen. Genießen Sie mit uns ein Mittagessen (Kosten: 20 €) mit Zutaten von unserem Hof.

Kunstmuseum Hannover E

Eröffnung von Neubau im Juli! Lernen Sie das neue Kunstmuseum im Juli kostenlos kennen.

Öffnungszeiten:

Wochentags:

10-18 Uhr

Samstag und Sonntag:

10-17 Uhr

Wohnen in der Zukunft F

Hören Sie eine interessante Diskussion über die Wohntrends. Experten diskutieren neue Prognosen (Themen: Familien ziehen aufs Land / Planung von Zukunftsstädten / Abgase in der Stadtluft)

Wo? VHS am Marktplatz

Wann? Am 4.7., 19 Uhr

Eintritt: 5 €

3 PRÄPOSITIONEN MIT AKKUSATIV – PRIVATDETEKTIV

Ergänzen Sie die Präpositionen und die Artikel oder Endungen. Eine Lücke bleibt leer (/).

(1) ⬚ Mitternacht klingelt plötzlich das Telefon. (2) „Ein Anruf ⬚ Sie", sagt meine Sekretärin. (3) Sie ist oft ⬚ 0 Uhr oder noch länger im Büro. (4) ⬚ ihr⬚ Hilfe kann ich meine Arbeit nicht machen. (5) Es ist dunkel, nur ⬚ ⬚ Fenster fällt ein wenig Licht. Ich gehe ans Telefon. (6) Ein einfacher Auftrag, kein Problem

⬚ ⬚. Ich lege auf und steige ins Auto. (7) ⬚ zwei soll ich in Düren sein. (8) Ich fahre ⬚ Straße ⬚. (9) Sie führt ⬚ ⬚ Wald. (10) ⬚ Düren sind es noch 20 Kilometer. (11) Ich kenne den Weg, ich finde die Stadt auch ⬚ Karte. Es regnet. (12) Dicke Tropfen prasseln

⬚ Scheibe. „Mistwetter!", denke ich. (13) ⬚ kurz vor zwei komme ich in Düren an. Die Adresse ist ein Hotel. (14) Ein guter Ort ⬚ eine Verabredung. (15) Ich gehe ⬚ eine Tür und einen Gang ⬚. In einem Sessel sitzt ein Mann. Er nickt mir zu. (16) „Sie sind ⬚ Ihr⬚ Sekretärin hier?", fragt er mich. „Ja, ich bin allein", antworte ich. (17) „Was kann ich ⬚ Sie tun?" (18) „Finden Sie meine Frau", sagt der Mann, „sie ist ⬚ mich zu einer Party gefahren und noch nicht zurückgekommen." Ich antworte: „Auf der Fahrt habe ich ein Auto gesehen: ziemlich kaputt. (19) Ich denke, es ist mit 80 km/h ⬚ ein⬚ Baum gefahren." (20) „Was für ein

Auto?", fragt mich der Mann. „Ein alter Opel", sage ich. Da lächelt er* ...

*Was denken Sie? Warum lächelt der Mann? Sprechen Sie mit Ihrem Partner.

4 PRÄPOSITIONEN MIT DATIV – KEIN SPORT IST MORD

Ergänzen Sie die Präpositionen und die Artikel oder Endungen.

(1) Hubert Möller kommt gerade ⬚ Arzt. (2) ⬚ zwei Monaten bekommt er schwer Luft, ⬚ Treppensteigen ist es ganz schlimm. Der Arzt sagt, Herr Möller ist zu dick – er wiegt 123 Kilo!

(3) ⬚ Hause fragt Herr Möller seine Frau: „Was soll ich nur tun?" Aber sie gibt dem Arzt Recht:

(4) „⬚ Jahren sage ich, du sollst mehr Sport machen! (5) ⬚ dein⬚ Übergewicht ist das wichtig!" (6) ⬚ d⬚ Fernseher steht eine Kiste ⬚ Zeitungen. (7) ⬚ d⬚ Kiste holt Frau Möller ein Programm ⬚ Sportverein hervor. (8) ⬚ d⬚ großen Angebot fällt die Auswahl schwer: (9) ⬚ Nordic Walking ⬚ Schwimmen ist alles dabei. (10) ⬚ d⬚ nächsten Woche beginnen wieder neue Kurse. (11) ⬚ 30 Minuten steht die Entscheidung fest:

(12) _____ d _____ nächsten Donnerstag machen Herr und Frau Möller zusammen einen Gymnastikkurs.

(13) _____ d _____ Kurs geht Herr Möller noch in die Sauna, Frau Möller möchte _____ ihr _____

Freundin zusammen noch _____ ein _____ Training für den Rücken mitmachen. (14) Und _____ d _____

Sportstudio ist eine Kneipe, da können Herr und Frau Möller abends kegeln. (15) „Und am Wochenende

machen wir einen Kurs _____ ein _____ Tanzschule", freut sich Frau Möller, „alle _____ mir können

tanzen, das muss sich ändern!" Herr Möller ist einverstanden. (16) _____ seiner Frau führt er _____

jetzt ein gesundes Leben!

5 WANN WAR DAS?

a) Kennen Sie die richtigen Antworten? Ordnen Sie die Daten zu.

1	Wann ist Albert Einstein geboren?	A	seit dem 01.01.2017
2	Wie alt können Schildkröten werden?	B	am 14. März 1879
3	Seit wann gehört Rumänien zur EU?	C	1825
4	Wann hat die erste öffentliche Eisenbahn auch	D	bis zum 67. Lebensjahr
	Personen transportiert?	E	bis zu 100 Jahre
5	Wie lange muss man in Deutschland arbeiten?		

1	2	3	4	5

b) Überlegen Sie nun selbst eine Quizfrage: Wie lange …? Wann …? Seit wann …? Schreiben Sie die Frage auf einen Zettel und die Antwort auf die Rückseite. Spielen Sie das Quiz in Kleingruppen. Tauschen Sie anschließend die Karten mit einer anderen Gruppe.

c) Ergänzen Sie Präposition und Artikel, wenn nötig. Manche Lücken bleiben leer (/).

Wann kommst du?

1	_____ 31.7.	5	_____ April	9	_____ Weihnachten
2	_____ zwei Wochen	6	_____ zehn vor zehn	10	_____ 2030
3	_____ Nacht	7	_____ Nachmittag	11	_____ halben Stunde
4	_____ Spätsommer	8	_____ Freitagabend	12	_____ morgen

6 PRÄPOSITIONEN MIT AKKUSATIV ODER DATIV

a) Kreuzen Sie die passenden Präpositionen oder Präpositionen mit Artikel an.

1 Das neue Kunstmuseum ist komplett _____ Glas gebaut, unglaublich, oder?

A durch   B aus   C aus dem

2 Sie fährt mit dem Fahrrad _____ Tunnel.

A durch den   B um den   C aus den

3 Kannst du _____ Smartphone leben?

A ohne deinem   B außer deinem   C ohne dein

4   Der Bus fährt _____ Hauptbahnhof.

A   bis zum   **B**   gegen dem   **C**   nach der

5   Wo bist du? – Ich bin _____ Hause.

A   nach   **B**   zu   **C**   bei

6   _____ Hilfe vieler Freunde war mein Umzug sehr einfach.

A   Ohne die   **B**   Für die   **C**   Durch die

7   Er hat _____ neue Freundin einen Strauß rote Rosen gekauft.

A   mit seine   **B**   außer seine   **C**   für seine

8   Wir haben Urlaub _____ Montag, den 23.5.

A   außer dem   **B**   seit den   **C**   bis zum

9   Gestern haben die Mitarbeiter _____ mehr Geld protestiert.

A   gegen   **B**   für   **C**   mit

10   Bei der Weihnachtsfeier waren _____ Sekretärin alle Kollegen da.

A   ohne der   **B**   außer der   **C**   für der

11   _____ Montag _____ ist Sommerschlussverkauf!

A   Von ... bis   **B**   Von ... an   **C**   Von ... zu

12   Der Chef war _____ Sekretärin sehr unfreundlich.

A   gegenüber seiner   **B**   gegen seine   **C**   mit seiner

b)   Ergänzen Sie die Präposition und die Artikel oder Endungen. Manche Lücken bleiben leer (/).

1   Woher kommst du? – Ich bin _____ Würzburg.

2   _____ wann ist Julia weg? – _____ zehn Minuten.

3   Mein Vater arbeitet schon _____ 20 Jahren bei Porsche.

4   Wann hast du geheiratet? – _____ 2000.

5   Im Urlaub fliege ich _____ Ibiza.

6   Den Ferrari habe ich _____ meiner Frau bekommen.

7   _____ dir wird es nie langweilig! _____ dich kann ich nicht mehr leben!

8   _____ morgen mache ich eine Diät.

9   Die Mitarbeiter demonstrieren _____ längere Arbeitszeiten und _____ mehr Geld.

10   Am liebsten jogge ich _____ Rhein _____. Manchmal laufe ich _____ Park.

11   _____ mir putzt niemand die Küche. Das nervt!

12 Ich gehe gerne ▢▢▢ ▢▢▢ Essen ein bisschen spazieren, das ist besonders bei einem vollen Bauch gut.

13 Er hat heute ▢▢▢ Arbeit ▢▢▢ sein ▢▢ Kolleginnen viel gelacht.

14 Wann machst du heute Feierabend? – Ich weiß es noch nicht genau. Vielleicht ▢▢▢ 18 Uhr. Ich muss ▢▢ 19 Uhr zu Hause sein, denn meine Frau und ich gehen mittwochs immer ▢▢▢ 19:15 Uhr ▢▢ 20:30 Uhr zum Sport. Und nach dem Sport essen wir meistens noch ▢▢▢ ▢ Italiener neben dem Bahnhof.

15 Das Sekretariat ist ▢▢ ▢▢▢ 15. März geschlossen.

7 ANSAGEN

Hören Sie die Ansagen und ergänzen Sie die fehlenden Informationen.

1 Ergänzen Sie die Sprechzeiten.

Montag: *von 9 bis*

Dienstag:

Mittwoch:

Donnerstag:

Freitag:

2 Beantworten Sie die Fragen.

1 Bis wann muss Herr Wendler das Formular bringen?

2 Von wann bis wann soll er nicht kommen?

3 Bis wann dauert der Urlaub?

3 Korrigieren Sie die Abfahrts- bzw. Ankunftszeiten.

1 ICE 273 nach Kiel: Ankunft 17:03 Uhr –

2 RE 3465 nach Dresden: Abfahrt 11:22 Uhr –

3 RB 4412 von Hannover nach Bremen: Abfahrt 13:21 Uhr –

8 MÖBEL UND EINRICHTUNG

Lösen Sie das Kreuzworträtsel.

Waagerecht

1 Er liegt auf dem Boden.

2 Man braucht ihn z. B. für Milch oder Fleisch. So bleibt das Essen kalt.

3 Hier kann man seine Kleidung aufhängen.

4 In dieses Möbelstück kann man z. B. Bücher stellen.

5 Man kann sich darin selbst sehen.

Senkrecht

6 Hier putzt man seine Zähne oder wäscht seine Hände.

7 Das liegt auf dem Bett. Es ist für den Kopf.

8 Das Möbelstück steht neben dem Bett.

9 In diesem Zimmer kocht man.

10 Er kann heiß werden. Hier backt man.

11 Hier wäscht man seinen Körper und seine Haare.

9 WECHSELPRÄPOSITIONEN

a) Schreiben Sie Fragen mit *wo*? oder *wohin*?

1 Wohin stellt er die Flasche ?
   – Er stellt die Flasche auf den Tisch.

2 _____ ?
   – Irina sitzt im Zug.

3 _____ ?
   – Die Socken liegen im Kleiderschrank.

4 _____ ?
   – Der Schlüssel steckt im Schloss.

5 _____ ?
   – Jan will die nasse Wäsche in die Sonne hängen.

6 _____ ?
   – Unser Hochzeitsbild steht auf meinem Schreibtisch.

7   _____ ?

– Das Kind setzt die Puppe in den Puppenwagen.

8   _____ ?

– Ich möchte das Kissen aufs Sofa legen!

9   _____ ?

– Die Handtücher hängen im Bad.

10   _____ ?

– Sie steckt ihren Geldbeutel in die Tasche.

b)   Im Studentenwohnheim: Verbinden Sie. Inhalt und Grammatik müssen passen.

1	Du kannst deine Jacke	A	auf dem Balkon.
2	Die Schuhe stellen wir immer	B	in der Küche.
3	Rauchen darf man nur	C	über dem Spiegel nicht.
4	Abends sitzen wir oft zusammen	D	im Kühlschrank.
5	Jeder Student hat ein eigenes Fach	E	ins Bad.
6	Komm, wir schauen jetzt	F	an die Garderobe hängen.
7	Hier funktioniert leider das Licht	G	vor die Tür.

1	2	3	4	5	6	7

10 POSITIONS- UND RICHTUNGSVERBEN – SUCHSPIEL

Arbeiten Sie zu zweit oder zu dritt zusammen. Wo ist was in Ihrem Unterrichtsraum? Spielen Sie ein Suchspiel.

- Wählen Sie eine Sache im Unterrichtsraum aus und schreiben Sie drei Sätze: Wo liegt/steht/hängt/… dieses Ding (nicht)? Wohin legt/stellt/hängt/… man es oft/nie?
- Lesen Sie die Sätze vor. Die anderen Kursteilnehmer müssen raten, was es ist.

- ◆ _Es liegt nicht unter meinem Stuhl._
  Man hängt es oft an die Wand.
  Es hängt über der Tür.
- ▪ _Es ist die Uhr!_

11 UMZUG VON FAMILIE NEUBAUER

a)   Was macht Familie Neubauer? Lesen Sie die Fragen. Hören Sie dann den Dialog, kreuzen Sie an und ergänzen Sie die Antworten.

1   Familie Neubauer ist in …

   A   ihre Traumwohnung gezogen.   **B**   ihr eigenes Haus gezogen.

2   Sie sind mit den Umzugshelfern …

   A   zufrieden.   **B**   unzufrieden.

3   Die Umzugshelfer haben ...

A   die Möbel aufgebaut.   **B**   die Kisten aus dem Haus getragen.

4   Der Garten ...

A   ist chaotisch.   **B**   sieht gut aus.

5   Die Puppe von Mia heißt ...

A   Lisa.   **B**   Nella.

6   Die Kisten mit den Küchensachen stehen im ...

A   Arbeitszimmer.   **B**   Kinderzimmer.

7   Was entdeckt Claudia Neubauer?

8   Warum muss sich Lars Neubauer setzen?

b)   Hören Sie den Text noch einmal und ergänzen Sie dann die fehlenden Wörter.

Claudia und Mia Neubauer s   (1) umgezogen und sie sind glü   (2). Eine Umzugsfirma

hat ih   (3) geholfen. Die Umzugshelfer waren sehr fl   (4) und haben die M   (5)

aufgebaut und alle K   (6) ins Haus getragen. Familie Neubauer p   (7) die Kisten nun

selbst aus. Sie fangen im Ki   (8) und in der Kü   (9) an. Mia will ihre Puppe ins Bett

l   (10) und die Kinderbücher i   (11) Regal stellen. Aber die Kisten stehen

fa   (12), es gibt ein Ch   (13).

12   DER UMZUG NACH MÜNCHEN

a)   Wie heißt das Gegenteil? Verbinden Sie.

1   in eine Wohnung einziehen   A   die Absage
2   die Zusage   B   etwas (aus dem Auto) ausladen
3   etwas (ins Auto) einladen   C   das Ende
4   der Beginn   D   aus einer Wohnung ausziehen

1	2	3	4

b)   Lesen Sie die E-Mails und beantworten Sie die Fragen in ganzen Sätzen.

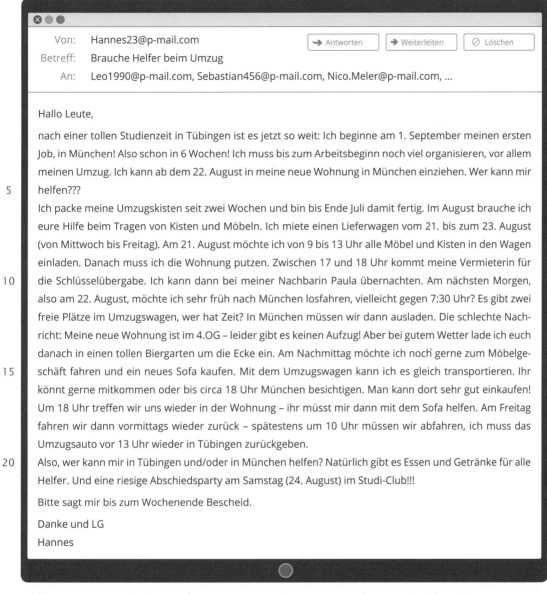

Von: Hannes23@p-mail.com
Betreff: Brauche Helfer beim Umzug
An: Leo1990@p-mail.com, Sebastian456@p-mail.com, Nico.Meler@p-mail.com, ...

→ Antworten   → Weiterleiten   ⊘ Löschen

Hallo Leute,

nach einer tollen Studienzeit in Tübingen ist es jetzt so weit: Ich beginne am 1. September meinen ersten Job, in München! Also schon in 6 Wochen! Ich muss bis zum Arbeitsbeginn noch viel organisieren, vor allem meinen Umzug. Ich kann ab dem 22. August in meine neue Wohnung in München einziehen. Wer kann mir
5   helfen???

Ich packe meine Umzugskisten seit zwei Wochen und bin bis Ende Juli damit fertig. Im August brauche ich eure Hilfe beim Tragen von Kisten und Möbeln. Ich miete einen Lieferwagen vom 21. bis zum 23. August (von Mittwoch bis Freitag). Am 21. August möchte ich von 9 bis 13 Uhr alle Möbel und Kisten in den Wagen einladen. Danach muss ich die Wohnung putzen. Zwischen 17 und 18 Uhr kommt meine Vermieterin für
10   die Schlüsselübergabe. Ich kann dann bei meiner Nachbarin Paula übernachten. Am nächsten Morgen, also am 22. August, möchte ich sehr früh nach München losfahren, vielleicht gegen 7:30 Uhr? Es gibt zwei freie Plätze im Umzugswagen, wer hat Zeit? In München müssen wir dann ausladen. Die schlechte Nachricht: Meine neue Wohnung ist im 4.OG – leider gibt es keinen Aufzug! Aber bei gutem Wetter lade ich euch danach in einen tollen Biergarten um die Ecke ein. Am Nachmittag möchte ich noch gerne zum Möbelge-
15   schäft fahren und ein neues Sofa kaufen. Mit dem Umzugswagen kann ich es gleich transportieren. Ihr könnt gerne mitkommen oder bis circa 18 Uhr München besichtigen. Man kann dort sehr gut einkaufen! Um 18 Uhr treffen wir uns wieder in der Wohnung – ihr müsst mir dann mit dem Sofa helfen. Am Freitag fahren wir dann vormittags wieder zurück – spätestens um 10 Uhr müssen wir abfahren, ich muss das Umzugsauto vor 13 Uhr wieder in Tübingen zurückgeben.
20   Also, wer kann mir in Tübingen und/oder in München helfen? Natürlich gibt es Essen und Getränke für alle Helfer. Und eine riesige Abschiedsparty am Samstag (24. August) im Studi-Club!!!

Bitte sagt mir bis zum Wochenende Bescheid.

Danke und LG
Hannes

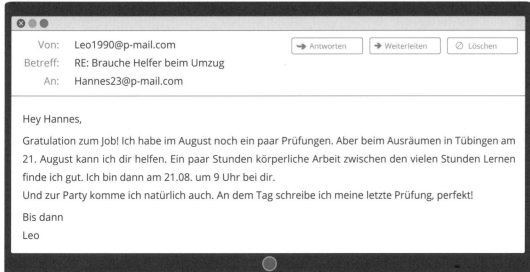

Von: Leo1990@p-mail.com
Betreff: RE: Brauche Helfer beim Umzug
An: Hannes23@p-mail.com

→ Antworten   → Weiterleiten   ⊘ Löschen

Hey Hannes,

Gratulation zum Job! Ich habe im August noch ein paar Prüfungen. Aber beim Ausräumen in Tübingen am 21. August kann ich dir helfen. Ein paar Stunden körperliche Arbeit zwischen den vielen Stunden Lernen finde ich gut. Ich bin dann am 21.08. um 9 Uhr bei dir.
5   Und zur Party komme ich natürlich auch. An dem Tag schreibe ich meine letzte Prüfung, perfekt!

Bis dann
Leo

1   Was macht Hannes in München?

   Er arbe

2   Warum schreibt er eine E-Mail an seine Freunde?

   Er braucht

3   Was macht Hannes vor dem Umzug?

   Er pa   und er mie

4   Was muss Hannes der Vermieterin in Tübingen geben?

   Er muss

5   Wo schläft Hannes vom 21. bis zum 22. August?

   Er schläft

6   Wohin möchte Hannes am 22.8. nachmittags fahren und warum?

Er möchte

Er möchte dort

7   Wann ist die Rückfahrt von München nach Tübingen?

Die Rückfahrt ist am   um

8   Bis wann sollen die Freunde antworten?

Sie sollen bis

9   Wann kommt Leo?

Leo kommt   um

10 Warum kann Sebastian nicht helfen?

c)   Kreuzen Sie die richtige Lösung an.

	A	Nach dem Studium in Tübingen studiert Hannes in München weiter
1	B	Hannes wohnt noch in Tübingen und schreibt Mitte Juli die E-Mail.
	C	Hannes kann sich noch 6 Wochen bis zum Umzug ausruhen.

	A	Ab Ende Juli packt Hannes seine Kisten.
2	B	Bis Ende Juli packt Hannes seine Kisten.
	C	Hannes hat noch nicht mit dem Packen angefangen.

	A	Am Mittwoch braucht er von 9 bis 17 Uhr Hilfe beim Tragen.
3	B	Am Mittwoch muss er zwischen 17 und 18 Uhr zu seiner Vermieterin gehen.
	C	Am Mittwoch muss er bis spätestens 17 Uhr die Wohnung putzen.

	A	In München geht Hannes mit seinen Freunden nach dem Einkaufen in einen Biergarten.
4	B	Im Haus in München gibt es nur Treppen.
	C	Die Geschäfte in München haben nur bis 18 Uhr geöffnet.

	A	Hannes darf den Umzugswagen nicht später als 13 Uhr zurückbringen.
5	B	Hannes möchte spätestens bis 10 Uhr in Tübingen sein.
	C	Am Freitag ist die Abfahrt in München nach 10 Uhr.

	A	Leo mag körperliche Arbeit nicht so gerne.
6	B	Leo kann nicht zur Abschiedsparty kommen, er schreibt am 24. August eine Prüfung.
	C	Leo macht am 21. August ab 9 Uhr eine Lernpause.

	A	Sebastian fährt alleine in den Urlaub.
7	B	Sebastian macht in Griechenland Urlaub.
	C	Sebastian wünscht Hannes heißes Wetter beim Umzug.

	A	Nico und Ahmed kennen München schon gut.
8	B	Nico und Ahmed freuen sich auf die frühe Abfahrt am 22. August.
	C	Die Freunde treffen sich vor dem Umzug noch.

d) Sprechen Sie in Kleingruppen über das Thema Umzug.

- Was muss man bei einem Umzug alles beachten?
- Wie oft sind Sie schon umgezogen?
- Wie gefallen Ihnen Umzüge?
- Haben Sie schon einmal bei einem Umzug geholfen?
- Was sind die besten Umzugstipps?

13 ORTE IN DER STADT

a) Welches Wort passt nicht zu den anderen? Streichen Sie durch.

1 nach, links, durch, entlang

2 Bäckerei, Rathaus, Metzgerei, Supermarkt

3 Zoo, Straße, Fußweg, Gasse

4 Oper, Kino, Tankstelle, Theater

b) Wo kann man was erledigen? Verbinden Sie und ergänzen Sie die Artikel und den Plural.

1	eine Postkarte abschicken	A	das Café,	
2	in den Bus einsteigen	B	d Bücherei,	
3	einen Espresso trinken	C	d Bahnhof,	
4	das Auto parken	D	d Post, /	
5	ein Buch ausleihen	E	d Haltestelle,	
6	Tabletten kaufen	F	d Parkplatz,	
7	eine Zugfahrkarte kaufen	G	d Apotheke,	

1	2	3	4	5	6	7

14 ORTE – WO, WOHER, WOHIN?

Spielen Sie im Kurs:

- Schreiben Sie einen Ort in der Stadt mit Artikel auf einen Zettel (z. B. „der Bahnhof").
- Mischen Sie die Zettel und ziehen Sie einen neuen Zettel.
- Gehen Sie nun im Kursraum spazieren und fragen Sie einen anderen Teilnehmer: „Wo bist du?", „Wohin gehst du?" oder „Woher kommst du?" Der Teilnehmer antwortet mit dem Ort auf seinem Zettel (z. B. „Ich gehe zum Bahnhof." oder „Ich komme vom Bahnhof.").
- Dann fragt der andere.
- Tauschen Sie dann die Zettel und fragen einen anderen Teilnehmer.

15 WIE KOMME ICH ZU DIR?

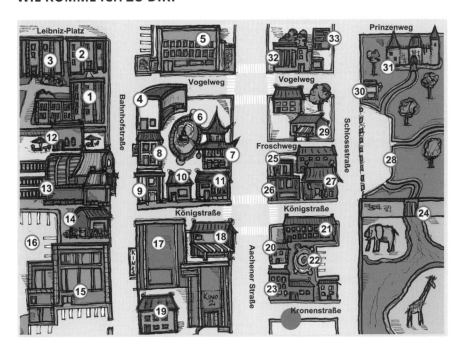

a) Ihre Freundin und Sie wollen das Schloss (31) besichtigen. Dort stehen Sie bereits und warten. Aber Ihre Freundin steht am Schwimmbad (15) und findet den Weg nicht. Schreiben Sie Ihrer Freundin eine Nachricht und erklären Sie ihr den Weg. Ihre Freundin ist zu Fuß unterwegs.

b) Arbeiten Sie zu zweit. Sie sind Partner A. Wählen Sie einen Ort auf dem Stadtplan, verraten Sie ihn aber nicht! Partner B steht auf der Kronenstraße (Punkt unten). Beschreiben Sie Ihrem Partner den Weg zu Ihnen. Findet Partner B Ihren Standort? Wechseln Sie anschließend die Rollen.

16 UND NOCH MEHR PRÄPOSITIONEN

a) Ergänzen Sie die fehlenden Präpositionen und Artikel, wenn nötig.

1

1 Vater und Sohn setzen sich _____ Sessel.

Sie sitzen _____ Sessel.

2 Kim legt sich _____ Bett.

Sie liegt _____ Bett.

2

3 Die Touristen legen sich _____ Sonne.

Sie liegen _____ Sonne.

4 Susi liegt _____ Sand und

genießt den Tag _____ Meer.

4

5 Ich laufe _____ Brücke.

6 Maria läuft _____ Wiese.

6

7

7   Die Touristen laufen [   ]

Regen zurück zum Hotel.

8   Das Mädchen wird nicht nass, denn

es steht [   ] Regenschirm.

8

9   Der Musiker spielt [   ] Brücke Saxophon.

10 Theodor sitzt [   ] Rollstuhl.

9

10

11 [   ] Bord ist das Rauchen verboten!

12 Johannes liebt es, [   ] Garten zu arbeiten.

11

12

b) Schreiben Sie zu jedem Bild einen eigenen Satz mit einer Präposition Ihrer Wahl.

c) Ergänzen Sie passende Präpositionen. Manchmal gibt es mehrere Lösungen.

1   Das ist ein Film [   ] die DDR.

2   [   ] der Woche habe ich viel zu tun!

3   [   ] die Feiertage bekommen wir Besuch.

4   [   ] den Ferien gehen wir jeden Tag schwimmen.

5   Wir haben uns [   ] einem Jahr kennengelernt.

6   Wir müssen die Aufgabe noch [   ] dem Feiertag erledigen.

7   [   ] Weihnachten bekommen alle Kinder Geschenke.

8   [   ] Krieg haben die Menschen große Angst.

9   Fahren Sie mit dem Aufzug [   ] den fünften Stock.

10 Fischen ist [   ] Rheinufer verboten.

11 Der Kurs beginnt gleich. Lass uns schon [   ] den Raum gehen!

d) Ergänzen Sie die Präpositionen und Artikel, wenn nötig.

1   Zuerst gehen Sie [   ] Lerchenweg [   ] und dann biegen Sie [   ]

[   ] ersten Kreuzung [   ] links ab. Dort sehen Sie dann das Café.

2   Juri kommt [   ] Schweiz, er spricht Deutsch und Französisch. Morgen fährt er

[   ] Frankreich. Dort beginnt er [   ] Renault eine neue Stelle als Ingenieur.

3 ■ Hallo Susi!

    ◆ Hallo Paul! Schön, dass du anrufst! Wo bist du gerade?

    ■ Ich komme gerade   Fitnessstudio. Jetzt habe ich Hunger und gehe

                Bäckerei. Wollen wir uns dort treffen?

    ◆ Ja, gerne. Ich bin in 10 Minuten   dir.

4 ◆ Wo ist Luis?

    ◆ Er ist   neuen Freundin.

    ● Oh. Aha. Und wann kommt er   Hause?

    ◆ Er muss um 18 Uhr   Hause sein!

e) Arbeiten Sie in Kleingruppen. Beschreiben Sie das Bild. Benutzen Sie Präpositionen.

17 ACHTUNG, FEHLER! – ENDLICH SOMMER

Ups, da ist was schief gegangen! Korrigieren Sie die Präpositionen und Artikel im Text.

<u>Im</u> (Am) Sonntag war der erste Sommertag <s>an dieses</s> (in diesem) Jahr. Es war toll! Ich bin schon früh am 8 Uhr aufgestanden, denn die Sonne hat mich geweckt. Danach habe ich vor der 10 Uhr gefrühstückt. Dann bin ich joggen gegangen. Im Sonntagvormittag ist es sehr ruhig, das gefällt mir. Ich bin zuerst bei eine kleine Straße gejoggt und dann zwischen die Wald gelaufen. Hinter dem Sport habe ich Freunde unter einen Restaurant getroffen. Wir haben lecker gegessen und danach über einer Bank hinter den Stadtpark gesessen und ein Eis gegessen. Leider war ich sehr lange auf der Sonne und um der Abend war mein Gesicht ganz rot. Dann habe ich in meinem Hause Gurken neben mein Gesicht gelegt, das hilft. Ich habe noch ein Glas Wein unter meinem Balkon getrunken und bin in der Mitternacht hinter das Bett gegangen. Ein toller Tag!

1 VERBEN

Ergänzen Sie die Verben in der richtigen Form und die Personalpronomen.

gehen helfen kommen lesen sehen (2x) sprechen (2x) suchen treffen wissen

1   du meine Jacke? – Nein, ich   auch nicht.

2   Hallo Julia und Theresa, wie   es   ?   mit ins Kino?

3   Mama,   du   bei den Hausaufgaben? Ich   die Lösung nicht.

4   Wo ist Papa? Ich   schon lange! –   ein Buch im Garten.

5   Mit wem   Leonie? –   mit ihrem Onkel.

                   jeden Donnerstag nach der Schule.

2 NOMEN

Ergänzen Sie die Nomen in der richtigen Form und die Artikel, wenn nötig.

Brief Hund Lärm Mädchen Nachbarin Katze Schokoladenkuchen Sonnenbrille Weinglas Wörterbuch

1   Ein Tipp für alle Hundebesitzer: Lesen Sie den aktuellen Artikel „Besser kommunizieren mit

                 ".

2   Es tut mir leid, aber gestern auf der Party habe ich zwei   kaputt gemacht.

3   Heute schreibe ich meinen Eltern   .

4   Wie viele   hast du? – Ich habe zwei verschiedene: ein einsprachiges und ein spanisch-deutsches.

5   Hast du ein Haustier? – Ja, ich habe   .

6   gießt oft meine Blumen, wenn ich im Urlaub bin.

7   Heute war es so hell, ich konnte nicht ohne   rausgehen.

8   Kannst du bitte die Fenster schließen?   stört mich.

9   Ich habe mir zum Geburtstag   gewünscht.

10   Das grüne Fahrrad gefällt   am besten.

3 TRENNBARE UND UNTRENNBARE VERBEN – SVETLANAS TAG

Bilden Sie Sätze. Ergänzen Sie Artikel, wenn nötig, und achten Sie auf trennbare Verben.

1   zu Deutschkurs / Swetlana / fahren / mit U-Bahn / .

2   abfahren / U-Bahn / um 7:32 Uhr / .

3   müssen / sie / um 6:15 Uhr / aufstehen / .

4   40 Minuten / Fahrt / dauern / .

5   Deutschkurs / beginnen / um 8:30 Uhr / .

6   Deutschkurs / sehr gut / sie / gefallen / , / sie / alles / aber / nicht / können/ verstehen / .

7   Deutschkurs / abholen / nach / Kinder / von Kindergarten / Swetlana / .

8   an / einkaufen / Nachmittag / sie / , / aufräumen / Wohnung / und / spielen / mit Kindern / .

9   Hausaufgaben / abends / machen / Swetlana / und / fernsehen / ein bisschen / .

10   auf Sofa / manchmal / einschlafen / sie / .

4 POSSESSIVARTIKEL

Ergänzen Sie die Possessivartikel.

1   Schreiben Sie bitte   Namen und   Adresse in die Liste.

2   Marlene, räum jetzt   Zimmer auf: Bücher müssen zurück ins Regal und

         Rucksack soll nicht auf dem Bett liegen!

3   ♦ Schau, da ist   Kollegin Anne mit   Mann und   Tochter.

        Komm, wir gehen zu ihr. – Hallo Anne. Ich möchte dir   Familie vorstellen: Das ist Uwe,

             Mann, und   Kinder, Vincent und Luise.

    ■ Hallo Martina. Schön, euch hier zu treffen.   Mann Jonas und   Tochter

        Anni kennst du ja schon. Wohnt ihr schon in   neuen Wohnung?

    ♦ Ja!   neue Wohnung gefällt uns super gut. Wir haben auch schon

        Nachbarn kennengelernt. Sie sind nett.

4   ● Denkst du,   Mutter kommt auch zur Party? Sie hat in   Nachricht gar nicht

        viel geschrieben, nur „Hallo   Kinder, danke für   Einladung.

             Vater bedankt sich auch. Grüße Mama".

    ◆   Mutter schreibt nie viel. Aber das hört sich doch gut an!

5 MODALVERBEN

Markieren Sie das passende Modalverb.

1   Hier, ein Apfel. Der Arzt hat gesagt, du sollst / willst / musstest mehr Obst essen!

2   Achtung, in dieser Straße will / wollte / darf man nur 30 fahren. Du darfst / musst / kannst langsamer fahren.

3   Sabine wollte / durfte / muss am letzten Samstag nicht so lange auf der Party bleiben. Sie müssen / mussten / musste spätestens um 22 Uhr zu Hause sein.

4   Ich kann / muss / will nicht Ski fahren, aber ich darfst / muss / möchte es gern lernen.

5   Können / Dürfen / Kann Sie bitte leiser telefonieren? Wir müssen / möchten / mochten uns gern unterhalten.

6   Jo will / muss / kann heute nicht kommen, denn er darf / muss / kann zum Arzt gehen.

7   Gestern konnte / wollte / durfte ich mein Fahrrad reparieren, aber es hat leider nicht geklappt. Heute soll / darf / muss ich es in ein Fahrradgeschäft bringen.

6 IMPERATIV

a)   Was gehört zusammen? Ordnen Sie zu.

Was sagt der Arzt zum Patienten?

1	den Mund	A	trinken
2	mehr Sport	B	machen
3	täglich 2 Liter Wasser	C	öffnen
4	die Medizin regelmäßig	D	einnehmen

Was sagt der Lehrer zu den Schülern?

5	die Hausaufgaben	E	schreiben
6	einen Text	F	sein
7	genau	G	machen
8	leise	H	zuhören

Was sagt die Mutter zum Kind?

9	brav	I	ausräumen
10	die Spülmaschine	J	sein
11	die Hausaufgaben	K	ausschalten
12	das Handy	L	nicht vergessen

1	2	3	4	5	6	7	8	9	10	11	12

b) Formulieren Sie zu den Ausdrücken aus a) Sätze im Imperativ. Überlegen Sie: *du, Sie* oder *ihr*?

1   Öffnen Sie den Mund!

2

3

4

5

6

7

8

9

10

11

12

7   PERFEKT UND PRÄTERITUM

Schreiben Sie die Geschichte im Perfekt. Einige Verben stehen im Präteritum (*sein, haben, es gibt*, Modalverben). Die direkte Rede („...") bleibt Präsens.

Es ist einmal ein armes Liebespaar. Das Paar will heiraten. Sie laden alle Freunde zu dem Hochzeitsfest ein, es soll ein großes Fest werden. Leider hat das Paar nicht genug Geld. Sie können nicht alles auf dem Fest bezahlen. Sie denken lange nach und es gibt eine Lösung für ihr Problem: Sie erwarten keine großen Geschenke. Die Gäste sollen nur eine Flasche Wein mitbringen. Das schreiben sie auf die Einladung. Zur Feier kommen alle Gäste mit einer Flasche Wein. Jeder Gast gießt den Wein in ein großes Weinfass. Das Hochzeitspaar ist sehr glücklich: Alle Fässer sind voll! Zum Essen gehen alle zu ihren Stühlen. Die Kellner füllen Gläser mit Wein und geben jeder Person ein Glas Wein. Alle stoßen auf das Hochzeitspaar an. Sie trinken den ersten Schluck und sind schockiert: In den Gläsern ist kein Wein, sondern Wasser! Was passiert? Alle Freunde bringen nur eine Flasche Wasser mit, sie denken: „Alle anderen bringen Wein mit, eine Flasche Wasser in dem großen Fass merkt man nicht."

Es war einmal ein armes Liebespaar. ...

Cover: Collage © Daniela Vrbanovic, D.A.N.dock, Aachen; Hintergrund © Shutterstock.com/Subbolina Anna

S. 4: 1 – 5 © Thinkstock/iStock/-ELIKA-; 6 © Thinkstock/Hemera/Christophe Testi
S. 6: © Thinkstock/iStock
S. 7: © Getty Images/iStock/GeniusKp
S. 8: links © fotolia/nandyphotos; rechts © Thinkstock/iStock/XiXinXing
S. 10: Karrotten © Thinkstock/iStock/XiXinXing; Tomaten © Thinkstock/iStock; Bananen © PantherMedia/tom scherber; Cola © Thinkstock/iStockphoto/Iaroslav Danylchenko; Fahrrad © iStock/fjdelvalle; Kaffee © Thinkstock/iStock/lentus25; Sonnenbrille © iStock/lleerogers; Haus © Getty Images/iStock/Korisbo; Auto © Getty Images/E+/Henrik5000; Pizza © Thinkstock/iStock/Boris Ryzhkov; Smartphone © Thinkstock/iStock/Boris Ryzhkov; Ring © Thinkstock/iStock/ziprashantzi
S. 15: links © Getty Images/E+/kali9; Mitte von oben: © Waldemar Milz – stock.adobe.com; © Thinkstock/iStock/Naphat_Jorjee; © Thinkstock/Wavebreakmedia Ltd; rechts: oben © Getty Images/iStock/jovan_epn; unten © Thinkstock/iStock/monkeybusinessimages
S. 27: 1 © iStock/manley099; 2 © xy – stock.adobe.com; 3 © Getty Images/iStock/Mikos; 4 © LIGHTFIELD STUDIOS – stock.adobe.com; 5 © Getty Images/E+/andresr; 6 © Getty Images/iStock/Goodboy Picture
S. 29: 1 © Getty Images/iStock/Shaiith; 2 © Getty Images/iStock/ermandogan; 3 © unpict – stock.adobe.com
S. 31: Blaubeeren © Thinkstock/iStock/AlexStar; Himbeeren © Thinkstock/iStock/anna1311; Brombeeren © Getty Images/iStock/kolesnikovserg; Pfirsiche © margo555_stock.adobe.com, Paprika © fotolia/Alexey Smirnov; Blumenkohl © fotolia/xmasbaby; alle weiteren © valery121283 – stock.adobe.com
S. 32: von links: © Getty Images/iStock/Hyrma; © Thinkstock/iStockphoto; © Getty Images/E+/bluestocking; © Getty Images/iStock/gbh007
S. 36: Hintergrund Lieferservice © Getty Images/iStock/Barcin; Inspiration von oben: © Getty Images/iStock/subodhsathe; © PantherMedia/Monkeybusiness Images; © Getty Images/iStock/artlensfoto; © Getty Images/iStock/artlensfoto
S. 38: von links: © iStock/anna1311; © Thinkstock/iStock/AlexStar; © valery121283 – stock.adobe.com; © Thinkstock/iStockphoto/Yong Hian Lim; © Thinkstock/EVAfotografie; © fotolia/rdnzl; © Thinkstock/iStock/Denira777; © Getty Images/iStock/jirkaejc
S. 45: 1 Hintergrund © Getty Images/iStock/KucherAV; 2 Nähmaschine © Thinkstock/iStock/Julynxa; 3: Hintergrund © Getty Images/iStock/pixelliebe; Logo © baobabay – stock.adobe.com; 6 Logo © Getty Images/iStock/ChrisGorgio
S. 47: 1 © Thinkstock/Lightwavemedia/Wavebreakmedia Ltd; 2 © Getty Images/iStock/KatarzynaBialasiewicz
S. 54: © Getty Images/iStock/Oksana Latysheva
S. 55: Ringe © Getty Images/iStock/frender
S. 57: Boris, Sandra, Tina, Oma/Opa, Mona/Lisa, Jan © Thinkstock/iStock/bluebearry; Hund, Pferd, Papagei © Getty Images/iStock/Skathi; Ball © Getty Images/DigitalVision Vectors/bortonia; U-Boot © Getty Images/iStock/saenal78; Gitarre, Krone © streptococcus – stock.adobe.com; Schirm © Getty Images/iStock/Turgay Malikli; August © Getty Images/iStock/vectorikart; Diana © Getty Images/iStock/robuart
S. 59: 1 © Thinkstock/iStock/KatarzynaBialasiewicz; 2 © Matthias Stolt – stock.adobe.com; 3 © ArtmannWitte – stock.adobe.com; 4 © pikselstock – stock.adobe.com; 5 © contrastwerkstatt – stock.adobe.com; 6 © Getty Images/E+/valentinrussa-nov;
7 © PantherMedia/Arne Trautmann; 8 © Kzenon – stock.adobe.com
S. 60: 10 © Thinkstock/iStock/andresrimaging; 11 © Getty Images/iStock/Andrey Popov; 12 © Getty Images/iStock/Rawpixel; 13 © georgerudy – stock.adobe.com; 14 © Getty Images/E+/Neustockimages; 15 © olgapogorelova – stock.adobe.com
S. 61: Hintergrund Smartphone © Getty Images/iStock/kaptnali; Profilfoto © Thinkstock/iStock/arekmalang; Emoticons: Smileys © Getty Images/iStock/Pingebat; Sushi © Getty Images/iStock/lukpedclub; Auto © Getty Images/iStock/iromanova1983; Stadt, Geschenk © streptococcus – stock.adobe.com
S. 66: © Getty Images/iStock/Alfa Studio
S. 67: beide © Getty Images/iStock/frimages
S. 69: Schild Parkschein Automat © Pixelot – stock.adobe.com; alle weiteren © stockphoto-graf – stock.adobe.com
S. 75: Smileys alle © Getty Images/iStock/Pingebat
S. 78: Ü1 © MKS – stock.adobe.com; Ü2: Smileys © Getty Images/iStock/Pingebat
S. 86: 1, 4, 7 © Thinkstock/iStock/Alex Belomlinsky; 2 © Getty Images/iStock/ChoochartSansong; 3, 9 © Getty Images/iStock/ChoochartSansong; 5, 10 © Thinkstock/iStock/anttohoho; 6, 8 © Thinkstock/iStock/LueratSatichob
S. 91: © MEV
S. 92: Neuschwanstein © fotolia/JFL Photography; Speisezimmer, Thronsaal © bpk/Joseph Albert; Sängersaal © bpk/Lala Aufsberg
S. 102: 1 © Getty Images/E+/franckreporter; 2 ©.shock – stock.adobe.com; 3 © iStock/samaro; 4 © Getty Images/iStock/franckreporter; 5 © Getty Images/DigitalVision/Image Source; 6 © shock – stock.adobe.com
S. 104: Mia © Thinkstock/iStock/DragonImages; Abdul © Thinkstock/iStock/m-imagephotography
S. 108: Rodrigo © Getty Images/E+/damircudic; Nuri © Thinkstock/iStock/YurolaitsAlbert; Mary © Thinkstock/iStock/ajr_images
S. 121: Ü16: 1. Spalte von oben: © stokkete – stock.adobe.com; © Getty Images/E+/ampueroleonardo; © Getty Images/E+/FilippoBacci; 2. Spalte von oben: © fotolia/Franz Pfluegl; © Getty Images/E+/Xesai; © Getty Images/iStock/vanillapics
S. 122: 1. Spalte von oben: © Getty Images/E+/Geber86; © Getty Images/iStock/PJSmart; © Getty Images/iStock/Herbert Pictu-res; 2. Spalte von oben: © Getty Images/iStock/YakobchukOlena; © Getty Images/iStock/Orbon Alija; © Getty Images/iStock/SbytovaMN
S. 123: © Getty Images/iStock/elenabs

Zeichnungen: Michael Stetter, Aachen;
Joleen Boemer, Aachen

Alle weiteren Fotos und Illustrationen: Sprachenakademie Aachen
Bildredaktion: Nina Metzger, Hueber Verlag, München